CW00863774

"Das Werkzeug erfolgreicher Friseure

ist nicht die Schere, sondern der Kopf."

Guido Scheffler

Guido Scheffler

Erfolgswissen für Friseure 1

grundlegende Sichtweisen für Geschäftserfolg im Friseurhandwerk

Bibliografische Information der Deutschen Nationalbibliothek: Die Deutsche Nationalbibliothek verzeichnet diese Publikation in der Deutschen Nationalbibliografie; detaillierte bibliografische Daten sind im Internet über dnb.d-nb.de abrufbar.

Herstellung und Verlag: BoD - Books on Demand, Norderstedt

ISBN 9783735757128

1. Auflage

Besuchen Sie uns im Internet: **www.Friseur-Unternehmer.de**

Inhalt

Vorworte und Rezensionen ... 6
Ihr Nutzen — Der Kern dieses Buches ... 10
Die drei häufigsten Marketing-Irrtümer der Friseure ... 13
  Irrtum Nr.1: Marketing ist gleich Werbung ... 13
  Irrtum Nr.2: Marketing ist Manipulation ... 20
  Irrtum Nr.3: Die "Marketing-Feuerwehr" ... 22
Die Produktpolitik als Herz unseres Friseur-Marketings ... 31
  Der unsichtbare Kern unserer Leistung ... 33
  Zielgruppe, Positionierung und Marke ... 38
  Die Friseurdienstleistung als ganzheitliches Produkt ... 58
Die Preispolitik ... 69
  Unfrei und unfair - Der Markt der Friseurdienstleistungen ... 70
  Grundgedanken zum Friseur-Preiskonzept ... 76
Die Kommunikationspolitik ... 90
  Kommunikation als Erfolgsbeschleuniger ... 92
Die Distributionspolitik ... 104
Schlusswort ... 105
Bildverzeichnis/Quellennachweis ... 107

Vorworte und Rezensionen

"Das Angebot an fachlicher Lektüre für Friseurunternehmer ist ebenso überschaubar wie die Nachfrage. Leider, muss man sagen, denn fundiertes Wissen wird für den wirtschaftlichen Erfolg von Friseurbetrieben in den nächsten Jahren überlebenswichtig werden.

René Krombholz
Saloninhaber,
Fachjournalist für die Friseurbranche und Gründer der Initiative "Der faire Salon"
www.friseur-news.de

Jetzt hat Guido Scheffler dieses Buch verfasst, welches sich (als erstes Buch einer geplanten Serie) mit dem Thema Marketing für Friseure befasst. Ein Thema, bei welchem viele Friseure abwinken werden, weil sie Marketing mit Werbung gleichsetzen. Ein großer und fataler Irrtum! Preispolitik, Image oder Unternehmenskommunikation gehören zu den behandelten Themen, von denen wir wissen, dass sie in der Friseurbranche zu oft auf der Strecke bleiben.

Besonders gut gefällt mir das Kapitel, welches die hintergründigen Bedürfnisse unserer Kunden beim Friseurbesuch anschaulich erklärt. Obwohl mir diese Thematik bekannt ist, hat mich die hier leicht verständliche Form begeistert. Schon lange versuche ich meinen eigenen Mitarbeitern die hier angesprochenen Fakten zu vermitteln, nicht immer ganz erfolgreich. Jetzt weiß ich, wie es besser geht!

In diesem kleinen, ca. 100 Seiten umfassenden Buch werden viele Punkte nur angesprochen, das zugehörige weitere Wissen ist auf ***www.Friseur-Unternehmer.de*** nachzulesen. Hier kann sich jeder Friseur(Unternehmer) registrieren und gegen geringe Gebühr die sehr guten Inhalte nutzen. Wert ist es das allemal. Wer diese Inhalte konsequent nutzt, kann seinen Salon auf die Erfolgsspur lenken."

Albert Bachmann
Friseurmeister,
Saloninhaber,
Speaker/Referent
und Trainer
www.albert-bachmann.de

"Das Pilotbuch der Reihe 'Erfolgswissen für Friseure' von Guido Scheffler ist ein absolutes Muss für jeden Friseurunternehmer.

Leicht verständlich und logisch aufgebaut erklärt das Buch die Grundgedanken des erfolgreichen Marketings. Viele Fragen, die Frisöre zum Thema 'Werbung' im Allgemeinen haben, werden geklärt und erläutert. Die praktische Anleitung zum Erfolgsdenken, mit vielen Fallbeispielen untermauert, hilft Frisören sich in Zukunft besser darzustellen und zu positionieren."

Heiko Schneider
Saloninhaber, Coach und Anbieter von Friseur-Webinaren
www.haarschneider.eu

"Wer mich kennt, der weiß, dass es zwei Themen gibt, die auch mir besonders am Herzen liegen: Zielgruppen und Positionierung. 'Der Erfolg liegt in der Spezialisierung', ein Satz aus meinen Seminaren, den Sie hier im Buch mit Grundlagenwissen und realen Geschichten untermauert wiederfinden. So macht Guido Scheffler die Inhalte greifbar und für Praktiker leicht verständlich. Wenn Sie (wie hier beschrieben) Marketing als Prozess in Ihren Unternehmeralltag integrieren, wird dies zu einem langfristigen Erfolg Ihres Salons führen."

"Lesen muss Neugierde wecken und mich fesseln - dann ist es gut. Dieses Buch von Guido Scheffler ist klar und verständlich geschrieben und mit vielen realen Beispielen bestückt, das mag ich!

Es hat praxisnahe Tipps und Informationen für mich, die mich endlich mal wieder wachrütteln, mich daran erinnern, was neben dem Salonalltag unternehmerisch noch wichtig ist, um wirklich erfolgreich zu sein."

Heike Breiter
Friseurmeisterin, Saloninhaberin und Trainerin bei front look
www.front-look.com

"Dieses Buch von Guido Scheffler gibt einen Überblick darüber, was erfolgreiches Marketing für Friseure bedeutet und wie es funktioniert.

Das Buch hat Tiefe, wird aber nie zu kompliziert. Die vielen, realen Beispiele aus der Friseurbranche machen es leicht verständlich.

Man merkt, dass man es mit einem Praktiker zu tun hat, der das, was er schreibt, auch lebt."

Jörg Wilken
Friseurmeister, Salon-inhaber, Trainer und Entwickler des Salon-Führungssystems "Navigare"
www.myhairstyle.de

Peter Lehmann
Unternehmenstrainer
www.unternehmenstraining.com

"Guido Scheffler erklärt in diesem Buch wunderbar, was Marketing bedeutet, eben nicht nur Werbung! Das Buch kommt ohne 'Fachchinesisch' aus. Man braucht nicht BWL oder Marketing studiert zu haben, um die Inhalte verstehen und anwenden zu können. Gerade die so wichtigen Zusammenhänge zwischen Produkt-, Preis- und Kommunikationspolitik werden herausgestellt und direkt auf das Friseurhandwerk bezogen. Dieses Buch lohnt sich zu lesen."

Ihr Nutzen — Der Kern dieses Buches

Bestimmt haben Sie sich schon einmal Gedanken darüber gemacht, warum einige wenige Friseure überaus erfolgreich sind und die große Masse der Salons im Mittelmaß versinkt. Sicherlich können nicht alle erfolgreich sein. Ohne Verlierer gäbe es schließlich keine Gewinner. Aber damit geben Sie sich nicht zufrieden, stimmt's?

Sie lesen dieses Buch, weil Sie selbst doch lieber zu den erfolgreichen Unternehmern gehören möchten, als zu denen, die sich jeden Tag mit Existenzängsten plagen müssen. Was machen also die Gewinner-Salons anders als die anderen? Die Antwort lautet: "Sie sehen die Welt um sich herum mit anderen Augen."

Erfolgreiche Friseure haben einen geschärften Blick für die Bedürfnisse ihrer speziellen Kunden, arbeiten ständig an der Nutzenerhöhung ihrer Leistung und betreiben systematisches Marketing.

Wenn Sie jetzt denken, dass Sie auch ohne Marketing als Friseur erfolgreich sein können, dann irren Sie sich. Dieses Buch wird Ihnen zeigen, dass jeder Friseur tagtäglich (mehr oder weniger gutes) Marketing betreibt. Wirklich erfolgreich sind aber meist nur jene, die ihr Marketing tatsächlich systematisch angehen.

Als erster Teil einer Serie über Erfolgswissen für Friseure, wird Ihnen dieses Buch zunächst die grundlegenden Betrachtungsweisen für erfolgversprechendes Denken und Handeln im Friseur-Marketing nahe bringen. Wir werfen einen ersten globalen Blick auf einige der wichtigsten Marketing-Sichtweisen für Friseure.

Jeder Friseurunternehmer sollte diese Betrachtungsmodelle kennen, um an seinem Markt dauerhaft erfolgreich sein zu können. Auf diesem Marketingverständnis bauen die meisten erfolgreichen Friseur-Marketing-Konzepte auf.

Lassen Sie uns also gemeinsam unsere Gedanken sortieren und unser Handeln zielgerichtet auf Erfolg ausrichten!

Speziell zugeschnitten auf die Bedürfnisse von Friseuren, werden in diesem Buch Nebensächlichkeiten oder für Friseure irrelevante Themenbereiche abgekürzt oder weggelassen. Das wird Ihnen ein entspanntes Lesen und Verstehen ermöglichen.

Im Kern dieses Buches steht der Nutzen, den Sie als Friseurunternehmer aus ihm ziehen werden. Sie werden nach dem Lesen in der Lage sein, komplexe Zusammenhänge im Friseur-Marketing zu **verstehen** und auf Ihr eigenes Salonkonzept **anzuwenden**. Wie die erfolgreichsten unter den Friseuren werden auch Sie die Welt um Ihren Salonalltag herum mit anderen Augen sehen können.

Es geht in diesem Buch also um das "große Ganze". Konkrete Anleitungen zu einzelnen Marketing-Maßnahmen würden den Rahmen dieses Buches sprengen. Detailliert beschriebene Marketingaktionen und viele weitere, wertvolle Informationen und Inspirationen stehen unseren registrierten Mitgliedern als Online-Kurse in Text-, Audio- oder Videoform zur Verfügung auf unserer Website ***www.Friseur-Unternehmer.de***.

Übrigens: Manche Autoren benennen ihre Bücher so, als hätten sie geheime Patentrezepte für Erfolg zu verkünden. Ziel ist meist nur der bessere Abverkauf des Buches durch einen reißerischen Titel.

Bei den hier vermittelten Informationen handelt es sich keineswegs um "Geheimnisse". Marketing ist seit ca. 1915 eine anerkannte Wirtschaftswissenschaft in Amerika — in Deutschland seit ca. 1967.

So kann es auch vorkommen, dass Ihnen während des Lesens das eine oder andere bereits bekannt vorkommt. Falls das so sein sollte, dann denken Sie bitte nicht, dass Sie das ja schon alles gehört oder gelesen hätten, was in diesem Buch steht! Fragen Sie sich an einem solchen Punkt stattdessen bitte, ob Sie Ihr Wissen auch tatsächlich anwenden! Da hockt nämlich meist der Hase im Pfeffer.

Es nützt Ihnen nichts, Wissen über erfolgreiches Marketing anzuhäufen, wenn Sie dieses Wissen nicht in der Praxis umsetzen.

Um Ihnen eben dieses Umsetzen zu erleichtern, gebe ich Ihnen zu jedem einzelnen Thema des hier vermittelten Basiswissens **reale Praxisbeispiele** und erzähle Ihnen aufschlussreiche Geschichten aus dem wirklichen "Friseurleben".

Und noch etwas: Sollten Sie in diesem Buch einen Fehlerteufel bei der Arbeit erwischen, dann machen Sie mich bitte auf ihn aufmerksam. Ich werde ihm sofort das Handwerk legen. Auch bei Fragen, Anregungen, Lob oder Kritik würde ich mich sehr über eine Email von Ihnen freuen: ***info@Friseur-Unternehmer.de***

Beginnen wir nun unseren Exkurs in die Welt des erfolgreichen Friseur-Marketings damit, dass wir zunächst einmal die häufigsten Irrtümer aus dem Weg räumen, die uns sonst die Sicht über den Tellerrand hinaus versperren.

Die drei häufigsten Marketing-Irrtümer der Friseure

Irrtum Nr.1: Marketing ist gleich Werbung

Von vielen Friseuren hört oder liest man Kommentare wie "Marketing ist zu teuer, ich setze auf handwerkliche Qualität". Ein Satz, der jeden Marketingprofi zum Schmunzeln bringt. Hier ist ganz offensichtlich, dass jemand über etwas spricht, von dem er gar nichts weiß.

Für Menschen, die sich mit Marketing beschäftigen, klingen derartige Aussagen so ähnlich wie "Birnen schmecken besser als Obst" oder "Nachts ist es kälter als draußen".

Allzu oft werden nämlich in der Öffentlichkeit die Begriffe "Marketing" und "Werbung" miteinander gleichgesetzt. Aber das ist einfach falsch! **Marketing ist nicht gleich Werbung!**

Vielmehr ist die klassische Werbung nur ein kleiner, wenn auch sehr auffälliger, Teilbereich eines der vier großen Instrumente des Marketings — der Kommunikationspolitik.

Damit wir also wissen, worüber wir eigentlich sprechen, verdeutlichen wir uns das einmal in einem bildlichen Beispiel. Stellen Sie sich bitte eine mittelgroße, lecker duftende Pizzatorte vor, die natürlich gerade frisch aus dem Ofen kommt...

Sie teilen die Pizza mit dem Pizzaschneider kreuzweise in vier große Stücke. Jetzt schnappen Sie sich hungrig eines der leckeren Stücke und beißen appetitvoll ein Stück davon ab. Dieser eine Bissen des Pizzastücks, den Sie nun im Mund haben und welchen Sie gerade genüsslich zerkauen, ist im Verhältnis zur ganzen Pizza nicht besonders groß. Dieser Happen ist anteilsmäßig ungefähr vergleichbar mit dem Anteil der "Werbung" im großen Bereich des Marketings. Das verdeutlicht uns, Werbung ist nur ein Teilbereich eines Teilbereichs des Marketings, und es gibt noch viele ähnlich delikate Happen an unserer "Marketing-Pizza".

Der klassische Marketing-Mix setzt sich — ähnlich wie eben im Beispiel mit der Pizza — aus vier großen Grundbausteinen zusammen. Diese werden Marketinginstrumente genannt.

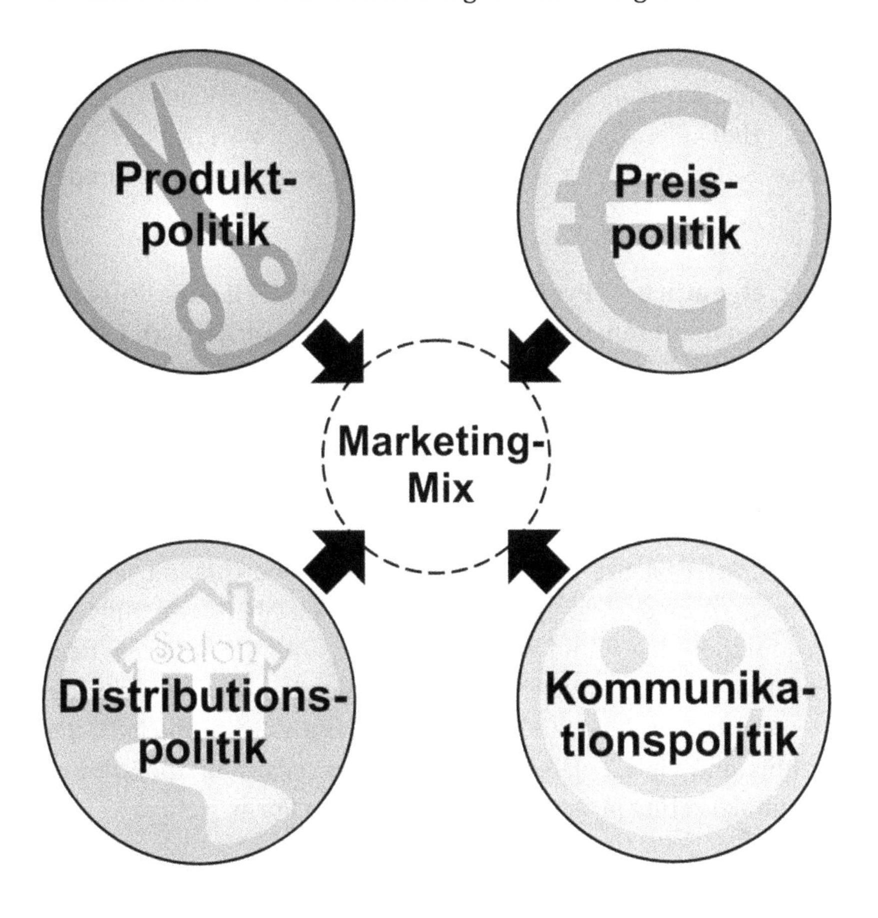

klassischer Marketing-Mix

Wir unterscheiden zwischen den Hauptinstrumenten "Produktpolitik", "Preispolitik", "Kommunikationspolitik" und "Distributionspolitik".

Die Produktpolitik wird als Marketinginstrument meist bewusst an erster Stelle genannt. Sie hat direkten Einfluss auf das Produkt selbst. Aber was ist denn eigentlich das Produkt eines Friseursalons?

Wer jetzt an Verkaufsprodukte denkt, der irrt. Auch wenn die "provisionsgesteuerten" Vertreter unserer Lieferanten uns gern weis machen wollen, dass die Steigerung des Verkaufsumsatzes das "Heil aller Dinge" wäre, so sind es in Wirklichkeit nicht unsere Waren, die im Zentrum des Interesses unserer Kunden stehen.

Das eigentliche "Produkt", welches wir Friseure unseren Kunden anbieten, ist natürlich unsere Friseurdienstleistung.

Und nun erkennen wir auch, dass wir alle tagtäglich Marketing betreiben, ohne darüber nachzudenken. Wir machen es, ohne zu wissen, dass es Marketing ist, was wir da tun.

Wenn wir Friseure daran arbeiten, eine hohe Qualität unserer Dienstleistungen zu gewährleisten, betreiben wir bereits Produktpolitik — und damit Marketing. Wir adaptieren neue Frisuren-Trends, führen Trainingsabende durch, schicken Mitarbeiter zu Seminaren, kontrollieren die Schnitttechnik des Azubis und vieles, vieles mehr. Das alles ist Produktpolitik und somit Marketing in seiner ursprünglichsten Form.

Die Produktpolitik ist das "Herz" des Marketings. Es schlägt, ohne dass wir ständig darüber nachdenken, warum es das tut. Als wäre es uns in die Wiege gelegt worden, wissen wir, dass unsere Dienstleistung zumindest gut sein muss, damit wir sie überhaupt verkaufen können.

Nun könnte man behaupten, dass allein die Produktpolitik ausreichen würde, um unsere Friseurdienstleistungen erfolgreich an die Frau und den Mann zu bringen, dem ist aber nicht so.

Wer soll denn unsere hochwertigen Dienstleistungen in Anspruch nehmen, wenn niemand davon weiß? Also müssen wir unsere gute Leistung doch auch irgendwie kommunizieren (Kommunikationspolitik). Der Preis und eventuelle Aktionen müssen zum Konzept passen (Preispolitik). Zudem muss unser Salon für die Kundschaft auch leicht erreichbar sein, oder wir fahren eben selbst zu unseren Kunden nachhause (Distributionspolitik).

Daran erkennen wir nun bereits, dass es ohne die anderen drei Hauptinstrumente des klassischen Marketing-Mixes nicht geht.

So wie jedes unserer vier Pizzastücken aus mehreren einzelnen Bissen besteht, hat jedes der vier Hauptinstrumente im Marketing-Mix mehrere untergeordnete Instrumente. Der "kleine Happen" namens "Werbung" ist ein Unterinstrument der Kommunikationspolitik.

Die Werbung ist also nur einer von mehreren Teilbereichen der Kommunikationspolitik, denn wir können ja auch anders kommunizieren als nur durch klassische Werbung.

Auch die drei anderen Hauptinstrumente (Produkt-, Preis- und Distributionspolitik) bestehen aus mehreren Teilbereichen (Unterinstrumenten).

Zum einfacheren Verständnis der Wirkweise des Marketing-Mixes stellen Sie sich nun bitte einmal die Struktur eines Sinfonieorchesters vor!

Hier gibt es zum Beispiel die vier Hauptgruppen der Streicher, Holzbläser, Blechbläser und das Schlagwerk. Diese unterteilen sich jeweils wieder in einzelne Instrumente. Bei den Streichern gibt es Geigen, Bratschen, Cellos und Kontrabässe. Bei den Holzbläsern sind es Klarinetten, Oboen, Fagotte etc., bei den Blechbläsern gibt es Trompeten, Posaunen, Hörner usw. und beim Schlagwerk sind es die Pauken, Trommeln, Becken und andere.

Erst wenn jedes einzelne Instrument im harmonischen Einklang mit den anderen Instrumenten in seiner Gruppe und gleichzeitig im Takt und in angepasster Intensität mit den anderen Hauptgruppen erklingt, entsteht ein Ohrenschmaus für die Zuhörer, der die

"Theaterkassen" klingeln lässt.

Verantwortlich für dieses erfolgversprechende Zusammenspiel der Instrumente ist der Dirigent.

Genau wie in einem wohlklingenden Sinfonieorchester verhält es sich auch bei erfolgreichem Marketing. Nur sind Sie selbst der "Dirigent" Ihres Marketing-Mixes. Es ist also Ihre Aufgabe, die Unterinstrumente aller vier Hauptinstrumente des Marketing-Mixes in einem bestimmten Verhältnis zusammenwirken zu lassen, damit am Ende maximierter Geschäftserfolg entsteht. Deshalb heißt es ja auch Marketing-**Mix**.

Es geht im Marketing also darum, die **optimale Mischung der einsetzbaren Instrumente** zu finden. Dadurch wird der höchst mögliche Wirkungsgrad des Marketings angestrebt.

Wirkungsgrad bedeutet hier **"möglichst schnelle und sichere Zielerreichung bei möglichst geringem Aufwand"**. An diesem Grundsatz erkennen Sie, dass Marketing keineswegs auf Geldverbrennung ausgerichtet ist — ganz im Gegenteil.

Zudem macht es ein optimierter Mix von Marketingmaßnahmen Nachahmern schwerer, unsere Geschäftsideen zu kopieren. Dazu werden Sie beim Weiterlesen noch einiges erfahren. Sie wissen spätestens jetzt, dass Marketing sehr viel mehr bedeutet als nur reine Werbung.

Irrtum Nr.2: Marketing ist Manipulation

Es ist ein Irrglaube, dass Marketing uns schlechte Produkte oder Dienstleistungen schönreden kann, dass es uns sogar unterschwellig aufdrängen kann, Dinge zu kaufen oder Dienstleistungen in Anspruch zu nehmen, die uns keinen Nutzen bieten. Das kann Marketing nicht, und das will es auch gar nicht.

Werbung für ein Produkt, dass dem Kunden keinen Nutzen bietet, ist somit definitiv Verschwendung von Geld, Zeit und Mühe. Ein schlechtes Produkt oder eine schlechte Dienstleistung kann man mit der auffälligsten, teuersten oder sogar bestgemachten Werbung nicht dauerhaft erfolgreich verkaufen.

Ein Saloninhaber, der ins Städtchen hinausruft, dass er der beste Friseur am Platz sei, sollte sich vorher vergewissern, dass seine Mitarbeiter nicht alle zwei linke Hände haben. Sicherlich würde er damit Neukunden gewinnen können. Aber jeder Neukunde wäre nur einmal und danach nie wieder in seinem Salon.

Zudem würden enttäuschte Kunden ihre schlechte Meinung von

diesem Prahlhans an Freunde und Bekannte weitergeben und damit auch weitere potenzielle Kunden abschrecken, jemals seinen Salon zu betreten.

Gerade in sozialmedialen Zeiten wie diesen verbreiten sich schlechte Bewertungen enttäuschter Kunden wesentlich schneller als jegliche Werbung dies jemals erreichen könnte.

Facebook, Twitter, Google+, Yelp und unzählige andere Kommunikations- und Bewertungsportale sorgen für rasanten Meinungsaustausch enttäuschter Kunden mit der Öffentlichkeit.

Selbst eine aufwändig inszenierte Werbekampagne würde verpuffen oder zum Witz mutieren, wenn sie mit einer Lüge über den Nutzen oder die Qualität der beworbenen

Friseurdienstleistung an den Start ginge.

Hieran erkennen wir, wie wichtig tatsächlich die Produktpolitik als Marketinginstrument ist und wie wenig unser Marketing in der Lage sein würde, unsere Kunden mit unwahren Werbeaussagen zu blenden.

Richtig praktiziertes Marketing befasst sich stattdessen damit, den Wert unserer Leistung für den Kunden stets zu erhöhen, diesen Mehrwert optimal zu kommunizieren und in höhere Gewinne zu verwandeln, die wiederum dem Unternehmer (in Form einer höheren Ausschüttung) und seinen Mitarbeitern (in Form höherer Löhne) zufließen.

Irrtum Nr.3: Die "Marketing-Feuerwehr"

Friseure denken oftmals, dass man ein Salonkonzept einmalig entwickelt und umsetzt, und dass dieses Konzept dann so wie es ist bis in alle Ewigkeit funktioniert. Das neueröffnete Geschäft entwickelt sich zunächst sehr gut, weil es vom Nachhall des Eröffnungsmarketings und von der Euphorie der ersten Geschäftsjahre lebt.

Bald macht sich aber Betriebsblindheit breit. Man meint immer noch einen tollen Salon zu besitzen, vergisst aber neue Entwicklungstendenzen im Markt, im eigenen Betrieb oder bei der Konkurrenz zu beobachten und zu analysieren. Die eigenen Ziele und Strategien geraten im Salonalltag außer Sichtweite oder werden nicht an neue Umstände angepasst.

Besonders jene Friseurunternehmer, die selbst aktiv im Salon mitarbeiten, haben nicht gerade viel Zeit und Kraft, um über ihr

Salonmarketing nachzudenken und dieses ständig an neuen Gegebenheiten auszurichten. So ist dann irgendwann die Luft raus, und das vermeintliche Perpetuum Mobile bleibt — zunächst unbemerkt — stehen.

Wenn man dann irgendwann registriert, dass die sicher geglaubte Einnahmequelle langsam versiegt ist, erinnert man sich an die Anfangszeit zurück und will das alte "Marketing-Kriegsbeil" wieder ausgraben.

In meiner Tätigkeit als Marketing-Coach erlebe ich es immer wieder, dass Saloninhaber erst dann an mich herantreten, wenn sie plötzlich bemerken, dass ihr Geschäft seit längerer Zeit kaum noch Gewinn abwirft.

Wenn ich dann zum Beratungstag vor Ort bin, muss ich sehr oft erkennen, dass viele Dinge im Salon in gegensätzliche Richtungen laufen. Die Inhaberin oder der Inhaber hat die Zügel irgendwann aus der Hand gelegt und den Mitarbeitern freien Lauf gelassen.

Aufgrund dieser fehlenden Zielführung haben die Mitarbeiter dann ihre eigenen Regeln aufgestellt, welche Sie aufgrund ihrer Verhandlungsmacht hartnäckig zu verteidigen wissen. Schließlich wissen die Friseurgesellen ganz genau, wie schwer es für die Chefin oder den Chef heutzutage ist, andere gute Mitarbeiter zu bekommen.

Sie sind sich dermaßen sicher, gebraucht zu werden, dass die Durchsetzung ihrer eigenen Interessen oftmals an pure Erpressung grenzt. Von unternehmerischem Denken und Verständnis für die wirtschaftliche Situation des Salons keine Spur.

So habe ich schon Saloninhaber/innen kennengelernt, die ich eher als "Beifahrer im eigenen Wagen" statt als "führende Hand im Salon" bezeichnen würde.

Doch wenn die Chefin oder der Chef endlich merkt, dass sie/er längst die Kontrolle über die Abläufe im Salon verloren hat, dann ist es oft bereits zu spät für eine erfolgreiche Wende.

Viele Saloninhaber erkennen erst in dieser festgefahrenen Situation, dass sich etwas ändern muss. Jetzt soll Marketing den "Karren" schnell wieder aus dem "Dreck" ziehen.

Aber Marketing ist **keine** "Feuerwehr", die man ruft, wenn's brennt. Im Gegenteil!

Die meisten Marketing-Maßnahmen brauchen relativ viel Zeit bis sie ihre volle Wirkung entfalten.

Lediglich preispolitische Maßnahmen wirken sofort. Jedoch sind Preisaktionen in den seltensten Fällen der richtige Weg, um finanziell wieder auf die Beine zu kommen.

Für wirksames Marketing bräuchte der angeschlagene Unternehmer einen sehr langen Atem bis es langsam wieder aufwärts geht. Meist sind die geldlichen Reserven in dieser Phase aber bereits verbraucht. Da kann Marketing kaum noch etwas ausrichten.

Wer also denkt, Marketing macht man erst dann, wenn es nicht mehr gut läuft, der irrt sich gewaltig. Temporäre Missstände können mit Marketing **nicht** mal eben schnell korrigiert werden.

Marketing ist ein dauerhafter Steuerungsprozess in Richtung Erfolg. Erst wenn Sie das verstanden haben, werden Sie auch tatsächlich langfristig erfolgreich sein. Wahrscheinlich wird es dann gar nicht dazu kommen, dass Ihr Geschäft jemals in eine finanzielle Schieflage gerät.

Anhand der folgenden Grafik erkennen Sie, dass richtig angepacktes Marketing ein dauerhafter Kreislauf ist, für dessen Umsetzung Sie **regelmäßig** ein Stück Ihrer Zeit investieren sollten.

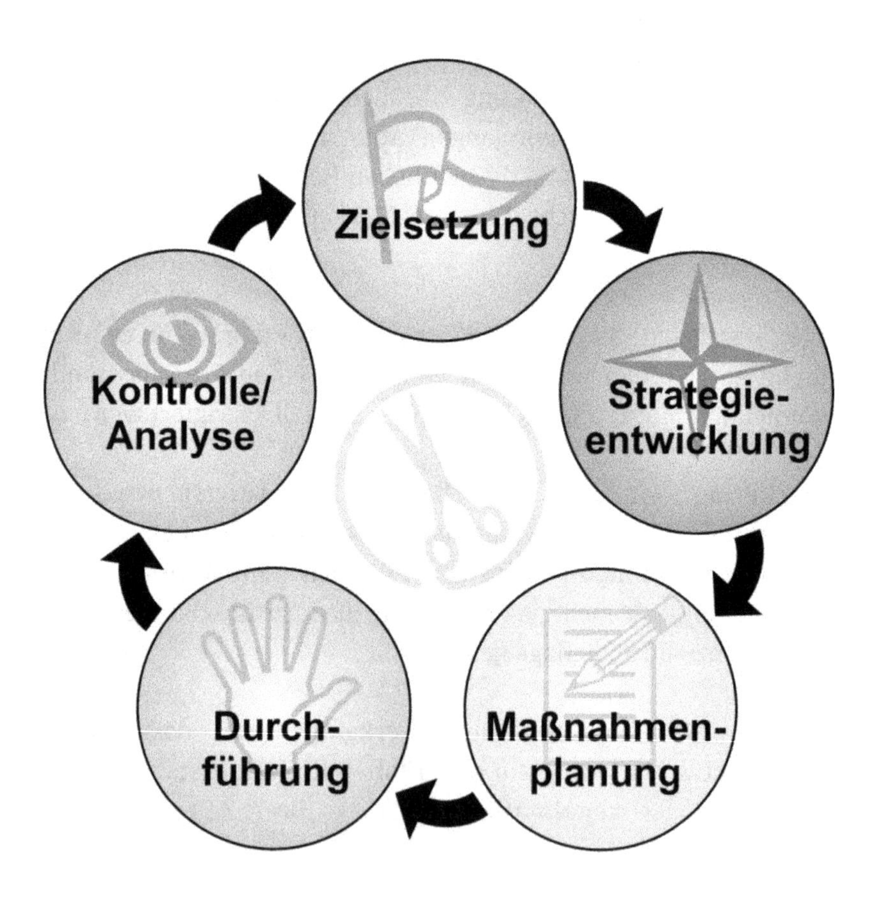

kontinuierlicher Steuerungsprozess des Marketings

Es folgt ein Beispiel für einen solchen Regelkreis, wie wir ihn aus dem täglichen Leben kennen:

Stellen Sie sich den Marketingprozess bitte einmal vor wie eine Autofahrt zu einem Seminar!

- *Sie kennen Ihr Ziel und planen Ihren Weg dorthin.*
- *Unterwegs haben Sie das Lenkrad dauerhaft in der Hand, damit Sie nicht von der Straße abkommen und eventuellen Hindernissen kurzfristig ausweichen können.*
- *Mit Weitblick passen Sie Ihre Route und Ihr Tempo der sich ständig ändernden Verkehrssituation an. Sie vermeiden in einen Stau zu fahren, indem Sie sich kontinuierlich über die Verkehrslage informieren und dann rechtzeitig entscheiden können, ob Sie besser einen anderen Weg einschlagen.*
- *Sie prüfen ständig, wo Sie sich gerade befinden und wie weit es noch bis zum Ziel ist. So wissen Sie auch, wann Sie auftanken müssen, um nicht unterwegs liegen zu bleiben.*
- *Wenn Sie unterwegs einen Anruf vom Seminarleiter bekommen, dass Ihr Seminar wegen eines Wasserrohrbruchs in anderen Räumlichkeiten stattfindet, dann passen Sie eben Ihr Ziel entsprechend an und planen die Route neu. Selbst das ist kein Problem.*

Durch diesen kontinuierlichen Regelkreis haben sie die häufigsten Risiken ausgeschlossen und werden mit hoher Wahrscheinlichkeit sicher und rechtzeitig zum Seminar erscheinen und damit Ihr Ziel erreichen.

Genau so funktioniert auch der Marketingprozess. Er stellt einen ständigen Regelkreislauf dar:

- *Sie analysieren, wie Sie derzeit geschäftlich aufgestellt sind.*
- *Sie legen Ihre Ziele fest.*
- *Sie entwickeln eine Strategie, wie Sie Ihre Ziele erreichen wollen.*
- *Sie planen konkrete Maßnahmen.*
- *Sie setzen die Maßnahmen in der Praxis um.*
- *Danach kontrollieren Sie, ob die Maßnahmen Sie tatsächlich Ihren Zielen näher gebracht haben und schauen auch, wie sich Ihr Geschäftsumfeld so entwickelt.*
- *Daraufhin passen Sie Ihre Ziele an neue Gegebenheiten an,*
- *verbessern Ihre Strategie,*
- *planen neue Maßnahmen,*
- *die Sie dann durchführen und*
- *wiederum auf ihren Stand der Zielerreichung hin kontrollieren*
- *und immer so weiter...*

Dieser kontinuierliche Steuerungsprozess gilt also nicht nur für tägliche Dinge wie das Autofahren, sondern ist auch die Voraussetzung für eine kontrollierte und optimierte Zielerreichung für Ihr Salongeschäft.

Aber warum macht das kaum ein Saloninhaber so? Vielleicht weil Friseurunternehmer fleißige Menschen sind, die wenig Zeit für Organisatorisches haben? Ja, das stimmt. Die meisten sind wirklich sehr fleißig. Dennoch ist es nichts weiter als eine

Ausrede. Man muss ja seine Zeit nicht zu hundert Prozent für den sofortigen Umsatz verplanen. Was ist denn mit **zukünftigen** Umsätzen? Haben Sie dafür auch schon Zeit eingeplant?

Meine persönliche Vermutung ist, dass viele Saloninhaber nicht erkennen, dass die für Marketingplanung investierte Zeit ihre eigene Zukunft sichert. Also vergessen Sie nicht an morgen zu denken!

Nehmen Sie sich **regelmäßig** etwas Zeit für Ihr Salon-Marketing, statt jeden Euro Umsatz selbst im Salon erarbeiten zu wollen! Die Zeit, die Sie in Ihre Marketingplanung investieren, wird Ihnen mit hoher Wahrscheinlichkeit mehr Erfolg einbringen als die bloße Arbeit am Kunden.

Schließlich dient erfolgreiches Friseur-Marketing nicht nur dazu, immer mehr Kunden in Ihren Salon zu bringen und für mehr Arbeit zu sorgen. Vielmehr soll es Ihnen ermöglichen, höhere Preise durchzusetzen und damit zukünftig höhere Gewinne zu erzielen, ohne sich aus Existenzangst todschuften zu müssen.

Also zwacken Sie regelmäßig ein Stückchen Ihrer Zeit für das Marketing Ihres Salons ab! Es lohnt sich!

Auf ***www.Friseur-Unternehmer.de*** versorgen wir Sie übrigens mit immer wieder neuen Inspirationen und aktuellem Wissen für Ihr eigenes, erfolgreiches Friseur-Marketing. Bestellen Sie sich doch einfach unseren kostenlosen Newsletter!

Steigen wir nun etwas tiefer in den Marketing-Mix ein. Wir schauen uns im Folgenden die einzelnen Instrumente an, die uns für eine erfolgsoptimierte Marketing-Mischung zur Verfügung stehen.

Zusammenfassung:

Marketing und Werbung sind nicht dasselbe. Vielmehr ist die Werbung nur eine Teildisziplin des Marketings.

Wir alle betreiben täglich Marketing, ohne zu wissen, dass es Marketing ist. Wir machen Produktpolitik, um unsere Dienstleistungen gut und damit verkaufbar zu machen.

Marketing ist nicht dazu geeignet, schlechte Produkte oder Dienstleistungen erfolgreich zu verkaufen. Stattdessen kann man mit richtigem Marketing schlechte Produkte und Dienstleistungen verbessern, um sie danach sehr erfolgreich verkaufen zu können.

Marketing ist keine "Feuerwehr", die man ruft, wenn's brennt. Einen Friseursalon aus finanzieller Not zu retten, ist mit Marketing meist nicht möglich.

Wenn Marketing aber in einem kontinuierlichen Steuerungsprozess betrieben wird, dann kann sich außerordentlicher und stabiler Erfolg entwickeln.

Deshalb ist die ins Marketing investierte Zeit des Saloninhabers eine bessere Geldanlage für ihn als die bloße Arbeit am Kunden.

Die Produktpolitik als Herz unseres Friseur-Marketings

Wie der Name dieses Marketing-Instrumentes schon verrät, beschäftigt sich die Produktpolitik mit dem eigentlichen Produkt. Für Dienstleister müsste sie eigentlich "Leistungspolitik" heißen. Wir wissen ja bereits, dass es sich bei den eigentlichen Produkten unseres Friseurgeschäfts nicht um unsere Verkaufsprodukte handelt, sondern vielmehr um unsere Friseurdienstleistungen.

Daran erkennen wir nun auch, dass unsere **Mitarbeiter**, die unsere Dienstleistungen direkt am Kunden erbringen, der **wichtigste Bestandteil unserer Produktpolitik** sind. Das handwerkliche Können, das fachliche Wissen, die Kommunikationsfähigkeit und die Erscheinung unserer Mitarbeiter entscheiden maßgeblich darüber, wie unser Produkt "Friseurdienstleistung" wahrgenommen und wertgeschätzt wird.

Die **Produktpolitik** wird deshalb als **"Herzstück"** des erfolgreichen Marketings bezeichnet, weil die durch unsere Kunden erworbenen **Dienstleistungen** (unsere eigentlichen Produkte) als **Zentrum unseres Markterfolges** anzusehen sind.

Über unsere Produktpolitik nehmen wir direkten Einfluss auf unsere Dienstleistungen. Andere Disziplinen des Marketings, wie z.B. die Kommunikationspolitik lassen sich als Hilfsleistungen ansehen. Dies ist in der Praxis daran erkennbar, dass es bereits viele Markterfolge gab, die sich weitgehend ohne den Einsatz des Instrumentes der Kommunikationspolitik im Markt verankern konnten.

So gab es bereits viele Friseursalons, die auf Werbung, PR und andere bezahlte Kommunikationsinstrumente verzichteten und dennoch sehr erfolgreich in ihrem regionalen Markt geworden sind. Sie setzten lediglich auf die Mund-zu-Mund-Propaganda der eigenen Kunden.

Allerdings haben diese Salons dafür meist sehr viel wertvolle Zeit benötigt und in eben dieser Zeit potenzielle Gewinne quasi verschenkt. Zudem waren sie in dieser Zeit leichte Beute für Nachahmer. Das sind Konkurrenten, die mit Vorliebe jede einzigartige Idee übernehmen, um selbst ein größeres "Stück vom Kuchen" zu bekommen.

Salons, die ihre Stärken entwickeln und gleichzeitig öffentlich kommunizieren, haben meist in kürzerer Zeit höhere Gewinne zu verzeichnen. Sie können sich schneller und deutlicher abgrenzen gegenüber ihrer Konkurrenz. Sie erlangen eher ein höheres Ansehen in Kundenaugen. Warum das meist der bessere Weg ist, werden wir dann ausführlich im Abschnitt "Kommunikationspolitik" klären.

Der unsichtbare Kern unserer Leistung

Um zu erkennen, welche Möglichkeiten uns die Produktpolitik im Friseurhandwerk bietet, müssen wir zunächst herausfinden, was unsere Dienstleistung für unseren Kunden überhaupt darstellt. Schließlich sind es unsere Kunden, die unsere Leistungen käuflich erwerben.

Aber was ist es, wofür unsere Kunden bereit sind, ihr Geld bei uns im Salon zu lassen?

In Marketingseminaren kommt von teilnehmenden Friseuren an dieser Stelle fast immer eine spontane Antwort wie "Ein toller Haarschnitt und eine schicke Farbe natürlich!", gefolgt von einem vorwurfsvoll zweifelndem Augenbrauenrunzeln, als wäre dies selbstverständlich die einzig richtige Antwort und die Frage an sich schon eine Dummheit.

Aber ist diese Frage wirklich so dumm?

Dass wir Haare waschen, scheiden, färben und formen können, das ist schon klar. Das Ergebnis unserer Tätigkeit kann man sehen und fühlen, also liegt diese spontane Antwort sogar nah. Aber kaufen unsere Kunden wirklich Farben, Schnitte, Wellen und Föhnfrisuren?

Marketing-Fachleute meinen "Nein, das tun Sie nicht." Selbst wenn eine Kundin wörtlich "Einmal Waschen, Schneiden, Föhnen, bitte!" bestellt, so will sie doch tatsächlich etwas ganz anderes. Aber was will sie dann? Die Antwort auf diese Frage ist die wohl wichtigste Erkenntnis im Marketing überhaupt:

*Die Kunden kaufen kein Produkt bzw. keine Dienstleistung von uns. Sie kaufen vielmehr den unsichtbaren Kern des Produkts oder der Dienstleistung — sie kaufen einen **Nutzen** für sich!*

*Dieser Nutzen besteht für unsere Kunden in der **Lösung eines Problems,** in der Hoffnung auf **Erfüllung einer Sehnsucht**, oder in der **Befriedigung eines bestimmten Bedürfnisses**.*

Unsere Friseurdienstleistung ist nur die "Hülle", in welcher wir diese Problemlösung — diesen Nutzen — dem Kunden zugänglich machen.

Diese Sichtweise mag im ersten Moment überraschen, aber bei genauerer Betrachtung stellen wir fest, dass sie tatsächlich zutrifft. Zum leichteren Verständnis gebe ich Ihnen einige Beispiele aus anderen Branchen, in denen Sie bestimmt selbst bereits als Kunde in Erscheinung getreten sind:

*Ein Kunde der eine Foto-Kamera kauft, will **kein** elektronisch-optomechanisches Gerät kaufen.*

Der Kunde kauft in Wirklichkeit "Vergnügen und Erinnerungen".

*Jemand, der ein Auto kauft, will **kein** verbrennungsmotor-betriebenes Kraftfahrzeug kaufen.*

Er kauft eigentlich "Mobilität".

Ein anderer Autokäufer kauft "Anerkennung seines gesellschaftlichen Status" (z.B. Mercedes).

Ein nächster kauft "sportlichen Fahrspaß" (z.B. BMW).

Im Kern dessen, was der Kunde will, steht also immer eine persönliche **Problemlösung**, eine **Bedürfnisbefriedigung**, eine Hoffnung auf **Sehnsuchtserfüllung**. Dies ist der eigentliche Nutzen, den der Kunde aus einem Produkt oder einer Dienstleistung zieht.

Wenn wir dies nun auf unsere Friseurdienstleistungen übertragen, erkennen wir, dass unsere Kunden tatsächlich keine Frisuren bei uns kaufen. Es ist noch nicht einmal das bessere Aussehen, das sie kaufen. Es ist der dahinter verborgene **Nutzen**, den unsere Kunden begehren, und für den Sie bereit sind, ihr Geld bei uns im Salon zu lassen.

Friseurkunden, die einen hohen Nutzen aus besserem Aussehen ziehen, kaufen beispielsweise "soziale Anerkennung", "Erfolg im Job", "ein erfolgreiches Date", "den Wunsch nach Glück in der Liebe", ein "höheres Selbstwertgefühl", "Hoffnung auf Zuneigung".

Andere Friseurkunden ziehen den größten Nutzen aus dem freundschaftlichen Gespräch mit der Stylistin oder dem Stylisten. Sie kaufen z.B. "Verständnis", "Erfahrungsaustausch", "freundschaftlichen Rat", "Flucht aus der Einsamkeit" oder einfach "harmonisches Beisammensein".

Wieder andere Kunden können dem Spaß mit einem ausgeflippten Salonteam den höchsten Nutzen abgewinnen. Sie kaufen "Zugehörigkeitsgefühl", "Insider-Infos aus der Szene", "amüsante Unterhaltung" oder "ausgelassenen Spaß".

Und wieder andere Kunden, die einen Nutzen daraus ziehen, sich bedienen und verwöhnen zu lassen, suchen "Stressabbau", "selbstgegönnte Belohnung", "Entspannung", "Ruhefindung" oder "emotionale Erdung".

Sicher denken Sie gerade an einige Ihrer Kunden, die Sie bereits länger kennen, und stellen fest, dass dies tatsächlich zutrifft.

Der **Kundennutzen** ist also der unsichtbare **Kern unserer Leistung**. Durch diese Feststellung wird nun aber auch klar, dass wir unsere Friseurkunden nicht "alle über einen Kamm scheren" können.

Die Gründe dafür, dass sie ihr Geld bei uns lassen, sind oft sehr verschieden. Aber diese Gründe sind es wert, sie zu kennen. Nur durch diese Kenntnis sind wir nämlich in der Lage, unsere

Dienstleistung **gezielt** wertvoller zu machen für bestimmte Kundengruppen.

Und da fiel auch schon das nächste wichtige Stichwort: "Kundengruppen". Im Marketing sprechen wir von "Zielgruppen". Diese Bezeichnung deutet bereits darauf hin, dass wir unser Marketing **zielgerichtet** auf bestimmte Kundengruppen ausrichten können. Warum wir das überhaupt tun müssen, schauen wir uns im nächsten Abschnitt an.

Das Verständnis für den Kundennutzen als Kern unserer Dienstleistung ist eine sehr bedeutende Sichtweise für erfolgreiches Marketing, denn nur so können wir Kundenwünsche nahezu perfekt erfüllen. Das wiederum ist Voraussetzung für unseren **geschäftlichen Erfolg**.

Vielleicht können Sie an dieser Stelle noch nicht ganz nachvollziehen, dass unsere Kunden keine "schicken Frisuren" von uns kaufen, sondern Lösungen für individuelle Probleme oder eine spezielle Bedürfnisbefriedigung? Wenn Sie dieses Verständnis für den eigentlichen, zumeist vor unseren Augen verborgenen Nutzen noch nicht entwickeln konnten, dann lesen Sie nicht einfach beharrlich weiter! Es könnte sonst passieren, dass Sie im folgenden Text den gedanklichen Anschluss verlieren oder Zusammenhänge nicht erkennen können. Lesen Sie stattdessen bitte diesen Abschnitt "Der unsichtbare Kern unserer Leistung" noch einmal und lassen Sie ihn "sacken". Verinnerlichen Sie diese bedeutende Sichtweise, die sich wie ein roter Faden durch die folgenden Abschnitte, durch folgende Bücher zu dieser Buchreihe und durch Ihr gesamtes Friseur-Marketing ziehen wird.

Zielgruppe, Positionierung und Marke

Die folgenden drei grundlegenden Schritte im Marketing sind thematisch eigentlich der Produktpolitik übergeordnet, weil sie generell alle Instrumente des Marketings betreffen. Jedoch möchte ich sie innerhalb dieses Abschnitts erklären, damit verständlich wird, warum das Wissen um den Kundennutzen unserer Dienstleistung und das Erkennen unserer Hauptzielgruppe so wichtig für die Ausgestaltung unserer Dienstleistung — also für unsere Produktpolitik — ist.

Die drei zentralen Tätigkeiten des Marketings sind:

1. ***Zielgruppenbildung/-abgrenzung***
2. ***Positionierung***
3. ***Markenbildung***

Aber warum sollten wir uns überhaupt auf bestimmte **Zielgruppen** konzentrieren? Wenn ich Friseure in Seminaren frage, was denn im Zentrum unseres Salonalltags steht, dann kommt fast immer die Antwort: "Der Kunde." Auf meine Nachfrage, "Jeder Kunde?", kommt dann: "Natürlich jeder Kunde! Der Kunde ist König". An dieser Stelle entgegne ich dann immer: "Glauben Sie mir bitte, wenn ich Ihnen sage, es gibt Kunden, die brauchen wir nicht! Manche Kunden schaden uns sogar mehr als sie uns nutzen."

Bestimmt kennen Sie solche Kundinnen, die mit ihren ewigen Sonderwünschen die Behandlungsdauer immens verlängern und damit Ihren Gewinnanteil am Behandlungspreis vernichten.

Sicher hatten Sie auch schon einmal eine Kundin, der Sie es nur sehr schwer recht machen konnten. Sie haben wirklich alles gegeben und am Ende hat die Dame dann doch nur schlecht über Ihren Salon geredet.

Raten Sie einmal woran das liegt? Richtig! Am **erwarteten Kundennutzen**. Diese Kunden erwarten einfach etwas völlig anderes, als Sie zu bieten bereit sind. Solche Kunden brauchen Sie nicht! Mit denen darf sich gern Ihre Konkurrenz vergeblich abmühen und herumärgern. Lassen Sie sie gehen!

"Ich kenne keinen sicheren Weg zum Erfolg, aber einen sicheren Weg zum Misserfolg: Es jedem recht machen zu wollen." *(Platon 400 v. Chr.)*

Platon, dieser schlaue alte Grieche, kannte — ohne es zu ahnen — schon ca. 400 Jahre vor unserer Zeitrechnung das Rezept für sicheren Misserfolg im Geschäftsleben des einundzwanzigsten Jahrhunderts.

Es jedem Kunden recht zu machen, geht zwar irgendwie ein bisschen, aber eben nicht hundertprozentig. Wir müssen uns ganz schön verbiegen, um bei total verschiedenen Nutzenerwartungen unserer Kunden zumindest mittelmäßige Zufriedenheit bei unserer Kundschaft als Ganzes zu erreichen.

Schauen wir uns dazu einmal eine kleine Fallstudie an, wie sie mir von einer Kundin eines durch mich zu beratenden Salons zugetragen wurde. Aus Gründen des Identitätsschutzes wurden Namen und Firmenbezeichnung in der folgenden, wahren

Geschichte etwas abgeändert.

Frau Westerfeld war eine sehr gepflegte und noch ziemlich attraktive, ältere Dame. Die finanziell gut ausgestattete Rentnerin war mode- und stilbewusst. Sie ging seit einigen Jahren in den Salon "Müller Friseure". Einige ihrer gleichaltrigen Freundinnen taten das auch. Bisher war Frau Westerfeld dort sehr zufrieden mit der handwerklichen Leistung ihrer Friseurin und mit der ruhigen, entspannten Atmosphäre im Salon. Seit einem halben Jahr jedoch hatte sich etwas verändert.

Der Sohn des Herrn Müller hatte seine Meisterprüfung abgelegt und wollte "dem Alten" nun erst mal zeigen, wie man heutzutage ein Friseurgeschäft erfolgreich macht. So beschwatzte er seinen Vater, zusätzlich zur bisherigen Klientel des Salons auch jüngeres Publikum anzuziehen. Man könne so das Umsatzpotenzial ausweiten, meinte der junge Meister. Der alte Herr Müller ließ sich überzeugen, dass mit einem breiteren Publikum sicher auch höhere Gewinne realisierbar wären. Außerdem wäre der Salon besser für die Zukunft gerüstet, wenn man die etwas in die Tage gekommene Kundschaft etwas verjüngen könnte. Gesagt, getan.

Herr Müller stellte eine junge Friseurin ein, die er bei einem anderen Salon mittels eines höheren Lohnangebotes abwerben konnte. Die junge Dame brachte einen mittelgroßen Kundenkreis mit, der zumeist ähnlich jung und flippig war wie sie selbst. Über das Äußere der mit Tattoos und Piercings verzierten Friseurin sahen Frau Westerfeld und die meisten der älteren Kundinnen großzügig hinweg und widmeten sich ihren geliebten Gesprächsthemen "Reisen" und "Genuss".

Doch der Tenor des Gesprächsstoffs im Salon verschob sich bald in Richtung lautstärkerer Diskussionen um Handytarife, Smartphone-

Apps, Facebook-Witze und berauschte Diskonächte. Irgendwie fühlte sich Frau Westerfeld, als ob sie plötzlich nicht mehr hierher gehört.

Müller Junior versuchte die vorher sehr ruhig gehaltene Musikauswahl aufzupeppen, indem er auf seinem MP3-Player in die bisherige Salonmusik alle zwei Titel einen Dance- oder Rocktitel einschob. Damit wollte er auch den jungen Leuten gerecht werden, ohne gleich die älteren zu verschrecken.

Doch vielen der jungen Kunden sagte die immer noch gediegen anmutende Atmosphäre und das recht Senioren-lastige Klientel bei "Müller Friseure" nicht wirklich zu. Das war nicht hundertprozentig "cool" für sie. Und so blieb ein Teil der jungen Kundschaft nach einer Weile aus. Auch Frau Westerfeld und ihre Freundinnen stellten bei einem Kaffeekränzchen fest, dass "Müller Friseure" nicht mehr der Ort war, an dem sie sich einst rundum wohl gefühlt hatten. Und so beschlossen die drei Damen, gemeinsam einmal einen anderen Friseursalon der Stadt auszuprobieren. Sogar die höheren Preise dieses Salons nahmen die Seniorinnen in Kauf. Sie wollten das wiederfinden, was sie einmal an "Müller Friseure" so geliebt hatten.

Mehr und mehr ältere, zahlungskräftige Kunden blieben bei den Müllers aus. Die Auslastung der Mitarbeiter sank und es wurde in den folgenden Jahren immer weniger statt mehr Gewinn erwirtschaftet. Die Müllers verstanden die Welt nicht mehr. Die handwerkliche Leistung der Mitarbeiter war doch genauso hervorragend wie eh und je, wenn nicht sogar besser. Warum nur läuft der Laden neuerdings so schlecht?

Fazit: Vorher, als sich der Salon auf die Bedürfnisse finanzkräftiger, älterer Kundinnen konzentrierte, lief er sehr viel erfolgreicher. Durch die Verbreiterung der Zielgruppe, kam es dazu, dass kein Kunde mehr rundum begeistert werden konnte, obwohl die handwerkliche Qualität sehr gut war. Der Grund dafür war, dass man mit Kompromissen versucht hatte, es jeder Kundengruppe irgendwie angenehm zu machen. Doch so machte man es keiner Kundengruppe mehr hundertprozentig recht.

Hätte Müller Junior einen separaten Salon eröffnet, der speziell auf die Belange junger Leute zugeschnitten wäre, dann hätte er wahrscheinlich großen Erfolg gehabt und hätte seinem Vater nicht ins funktionierende Konzept gepfuscht. So aber war das Salonkonzept der "Müller Friseure" aus Sicht des Kundennutzens nichts Halbes und nichts Ganzes. Der Erfolg war dahin.

An dieser kleinen Geschichte erkennen wir, dass es nicht möglich ist, Kundengruppen mit gegensätzlicher Nutzenerwartung perfekt zufrieden zu stellen. **Wer versucht, es allen recht zu machen, wird dadurch immer "unperfekter" in der Erfüllung von Kundenwünschen werden.** Um unsere Leistung zu perfektionieren, sollten wir uns also auf eine bestimmte Zielgruppe spezialisieren.

Wenn wir unsere gesamte Kundschaft anhand des Nutzens in homogene Gruppen einteilen würden, könnten wir feststellen, für welche Zielgruppe unsere Dienstleistung den höchsten Nutzen bietet. Dies wäre mit hoher Wahrscheinlichkeit diejenige Kundengruppe, die unsere Dienstleistungen stärker in Anspruch nimmt als die Gesamtheit all unserer Kunden im Durchschnitt.

Um unsere bisherige/n Zielgruppe/n zu identifizieren, macht es also Sinn, diejenigen Kunden zu ermitteln, die unseren Salon häufiger als der Durchschnittskunde besuchen und/oder bereit sind, mehr Geld für unsere Dienstleistung auszugeben als die

Gesamtheit der Kunden. Die Wahrscheinlichkeit ist sehr groß, dass diese Kunden den höchsten Nutzen aus unserer Dienstleistung ziehen.

Betreiben Sie also Marktforschung unter Ihrer bestehenden Kundschaft! Selektieren Sie eine ausreichend große Stichprobe Ihrer profitabelsten Kunden! Wie Sie das im Einzelnen machen, können Sie als Mitglied von ***www.Friseur-Unternehmer.de*** in einem zukünftig erscheinenden Online-Kurs erfahren.

Nachdem Sie nun die Kunden ermittelt haben, die für den höchsten Anteil an Ihrem Salongewinn sorgen, können Sie versuchen, die am häufigsten vorkommenden Gemeinsamkeiten dieser Kunden festzustellen. Für diese statistische Analyse kommen Alter, Geschlecht, Wohnort, soziale Schicht, Kundennutzen und andere Kriterien infrage.

Stellen Sie sich dann die folgenden Fragen: **Was haben Ihre besten Kunden gemeinsam? Welchen gemeinsamen Nutzen suchen diese profitablen Kunden durch die Inanspruchnahme Ihrer Friseurdienstleistungen?**

Mit diesem Wissen können Sie dann Ihre Produktpolitik sowie auch alle anderen Instrumente Ihres Marketing-Mixes auf diese erfolgversprechende Kundengruppe ausrichten. Der Kundennutzen Ihrer Dienstleistung wird damit gezielt erhöht, und es steigt die Kundenzufriedenheit.

Dadurch positionieren Sie sich in den Köpfen Ihrer Kunden mit dem Nutzen, den Sie außergewöhnlich gut bedienen können. Das wiederum führt dazu, dass Sie vermehrt Kunden derselben Zielgruppe bzw. Kunden mit ähnlichem Bedarf an Nutzen magnetisch anziehen werden.

Die Vorteile der Zielgruppenbildung liegen also darin, dass unser Angebot eine **bessere Passform für unsere Zielgruppe** bekommt. Unsere Dienstleistung kann so für eine bestimmte Kundengruppe einen **höheren Nutzen** erzielen.

Wir bauen uns auf diese Weise das **Image eines Spezialisten** für die betreffende Zielgruppe auf und können deshalb den Kundennutzen, den unsere Dienstleistung dieser Zielgruppe bietet, viel überzeugender kommunizieren. Dadurch wiederum festigen wir unsere **Positionierung**.

Unter Positionierung versteht man im Marketing die **Differenzierung** unserer Marke von den **Konkurrenzmarken im Bewusstsein der Kunden** bzw. der Öffentlichkeit. Differenzierung bedeutet dabei die gewollte Erhöhung der **Unterscheidungskraft** unserer eigenen Dienstleistung von der

Dienstleistung sämtlicher Konkurrenten.

Positionierung heißt also, eine Stelle im Bewusstsein der Kunden und der Öffentlichkeit fest zu besetzen, die noch niemand besetzt hat.

Hierzu zunächst ein Beispiel außerhalb des Friseurhandwerks. Wenn Sie die nachfolgend genannten Saft-Marken und deren Werbeauftritte kennen, werden sicher auch Sie feststellen, dass diese Marken tatsächlich die jeweilige "Zelle" in unserem Bewusstsein besetzt haben:

"Hohes C" hat die Zelle "Gesundheit" im Bewusstsein der meisten Menschen hierzulande besetzt. "Punica" hingegen steht für "Durstlöscher" und "Valensina" hat sich das Kästchen namens "Geschmacksführer" geschnappt.

Dieses Beispiel zeigt, dass erfolgreiche Marken tatsächlich ihre Zielgruppe eingrenzen, um dauerhaft erfolgreich zu sein. Sie teilen sich den Massenmarkt dadurch fair untereinander auf, ohne dass die Marken in direkter Preiskonkurrenz zueinander stehen.

Genussmenschen würden sich wohl größtenteils für "Valensina" entscheiden, gesundheitsbewusste Mütter kaufen eher "Hohes C" für ihre Kinder und sich selbst, und "Punica" wird wahrscheinlich oft von jüngeren, sportlich aktiven Menschen gekauft.

Aufgrund dessen, dass jede dieser drei Marken ein einzigartiges Image und eine eigene Hauptzielgruppe hat, können sie alle drei einen höheren Preis durchsetzen. Daneben gibt es unzählige Säfte, die alles in einem sein wollen. Aber diese "Gesundheitsdurstlöschgeschmacksführer" haben als Marke keine Bedeutung für den Großteil aller "Saftkunden". Sie haben keine

> *eindeutige Positionierung und damit kein "Gesicht", das sich in den Kundenköpfen verankern könnte. Und somit führen diese durchaus guten, aber nicht eindeutig positionierten Saftmarken untereinander einen harten Preiskampf um die Billigkäufer. Aus der Sicht der Kunden sind diese "0815"-Säfte nämlich gegeneinander austauschbar. Es wird meist einfach der billigere gekauft.*

Kommen wir jetzt zurück in die Friseurbranche. Bei der Positionierung geht es also um die **Sicht des Kunden** auf unseren Salon als Marke und nicht um unsere kommunizierte Botschaft.

Wir fragen uns also nicht "Was will ich mit meinem Salon für meine Kunden darstellen?", sondern vielmehr **"Wofür steht mein Salon im Kopf der meisten Kunden und der Öffentlichkeit?"**

Im Idealfall ist dies eine nutzenstiftende Positionierung für unsere Zielgruppe. Wenn dazu noch unsere kommunizierte Botschaft (was wir für unsere Zielgruppe sein wollen) mit unserer Positionierung (was wir tatsächlich in den Augen unserer Zielgruppe sind) übereinstimmt, dann wirkt die Botschaft als Multiplikator zur weiteren Festigung unserer Positionierung.

Es interessiert also nicht, was ich mir wünsche, für meine Kunden zu sein. Es interessiert, was ich für meine Kunden tatsächlich bin.

Was sehen meine Kunden tatsächlich in dem, was wir im Salon tun und wie wir es tun? Gibt es da wirklich etwas, was in ihren Augen meinen Salon von all meinen Konkurrenten unterscheidet? Erkennen meine Kunden in mir etwas, was mich in meinem regionalen Umfeld einzigartig und unverwechselbar macht? Etwas, dass Sie nur in mir bzw. in meinem Salon sehen? Gibt es bei mir etwas, was meinen Kunden wichtig ist, und was sie nirgendwo anders im Ort in dieser Art und Weise bekommen oder erleben können?

Dazu folgt nun ein anschauliches Beispiel aus der Friseurbranche, welches die Wirkweise und die Bedeutung von Zielgruppenabgrenzung, Positionierung und Markenbildung in der Praxis verdeutlicht.

Wenn Sie in einer Stadt — egal ob Klein- oder Großstadt — leben oder sogar dort als Friseur selbständig sind, dann kennen Sie sicher die Konkurrenzsituation, die ich Ihnen jetzt beschreiben werde. Vielleicht erkennen Sie sogar Ihren eigenen Salon in einem der in diesem Beispiel genannten Salons wieder.

Es gibt in meiner Heimatstadt relativ viele Friseurgeschäfte. Die meisten der ansässigen Salons kommunizieren keine eindeutige Positionierung. Einige wenige tun es aber doch, und haben damit durchschlagenden Erfolg. Ich habe für Sie einmal vier der Salons herausgepickt, die eine sehr klare und leicht nachvollziehbare Positionierung haben.

Der eine ist der „Billigsalon", wo es jede Dienstleistung für derzeit nur 10,- Euro gibt. Ein anderer ist der „Exklusivsalon", wo sich die besserbetuchten Bürger anspruchsvoll verwöhnen lassen. Ein weiterer ist der „Bio-Salon", der nur Natur an Haut und Haar lässt, und noch ein weiterer hat sich erfolgreich als „Szenetreff" für Studenten der in meiner Stadt ansässigen Hochschule und andere junge Leute positioniert.

Dadurch, dass diese Salons alle eine ganz bestimmte Zielgruppe bedienen, kommen sie sich im Konkurrenzkampf gegenseitig kaum in die Quere. Der "Billigsalon" bedient ein völlig anderes Klientel als der "Exklusivsalon". Menschen, die im "Exklusivsalon" Kunde sind, würden nie in den "Billigsalon" gehen und umgekehrt. Also sind diese beiden Salons eigentlich gar keine Konkurrenz füreinander, denn sie bearbeiten unterschiedliche Marktsegmente, die sich — wenn überhaupt — nur in sehr geringer Kundenzahl überschneiden.

Wenn man alle vier Positionierungen betrachtet (billig, exklusiv, Bio und Szene), dann erkennt man, dass es unter den Zielgruppen dieser vier Spezialisten nur geringe Schnittmengen gibt. Da sind vielleicht einige wenige Personen, die vom Profil her zur Zielgruppe des "Szenetreff"-Salons gehören, tatsächlich aber als Kunden im "Billigsalon" anzutreffen sind und umgekehrt. Einige Zielpersonen des "Exklusivsalons" könnte man bestimmt auch als Kunden im "Bio-Salon" finden und umgekehrt. Diese Schnittmengen sind allerdings sehr gering, so dass sie kaum ins Gewicht fallen.

Durch Zielgruppenbildung, Spezialisierung auf die jeweilige Zielgruppe und die entsprechende Positionierung haben sich diese Salons quasi der Konkurrenzsituation und damit dem Preiskampf untereinander entzogen. Und genau das ist das Ziel dieses Erfolgsrezeptes aus der Marketinglehre.

Nun schauen wir uns im Vergleich zu diesen vier Spezialisten die zahlreichen Friseursalons der Stadt an, die sich ***nicht*** *auf eine konkrete Zielgruppe spezialisiert haben. Diese Salons meinen, es wäre für sie am meisten Kundenpotenzial abzugreifen, wenn sie den Massenmarkt bedienen würden. Das heißt, Sie wollen alle Bürger der Stadt gleichermaßen ansprechen.*

Das erscheint zunächst logisch, denn jeder Salon möchte ja möglichst viele Kunden anziehen. Weil es jedoch so viele dieser "Salons für Jedermann" gibt, können sie keine einzigartige Positionierung einnehmen. Und so erklärt sich dann, dass diese Salons nur einen recht kleinen Anteil des Marktpotenzials abbekommen. Dieses müssen sie sich nämlich mit allen anderen "Salons für Jedermann" in der Stadt teilen.

Wir erkennen hier wesentlich größere Schnittmengen mit den Zielgruppen aller anderen Salons der Stadt, denn ihre unklare Positionierung als "Salon für Jedermann" teilen Sie sich mit zahlreichen Konkurrenten. Dem potenziellen Kunden erscheint die Leistung dieser Salons austauschbar zu sein. Er erkennt keine Besonderheit, die ihn zu einem der "Salons für Jedermann" mehr hinzieht, als zu einem anderen. So entscheidet sich ein Neukunde lediglich über den Preis, zu welchem Salon er gehen wird. Das wiederum führt zu einem enormen Preisdruck im Wettbewerb um die Kundengunst unter den "Salons für Jedermann".

Solche Salons mit austauschbarem Image trifft der tägliche Konkurrenzkampf unter Ihresgleichen in voller Härte. Sie machen sich gegenseitig erbitterte Preiskonkurrenz im Kampf um die Neukunden. Hinzu kommt, dass ganz besonders der Konkurrenzkampf gegen die Spezialisten für die "Salons für Jedermann" auf lange Sicht ein aussichtsloses Unterfangen ist. Das erklärt sich nicht allein aus der fehlenden Positionierung heraus. Die "Salons für Jedermann" wollen es prinzipiell jedem Kunden recht machen und für alle Menschen gleichzeitig das perfekte Angebot liefern. Aber das ist eine unüberschaubar riesige Aufgabe. Es ist schier unmöglich, Kunden aller denkbaren Zielgruppen gleichzeitig zu begeistern. Man kann sie allenfalls "zufriedenstellen".

Die auf ihre Zielgruppe spezialisierten Salons sind dagegen klar im Vorteil, denn sie bieten für ihre eingegrenzte Zielgruppe eine viel passgenauere Leistung mit höherem Kundennutzen. Wenn das erst einmal in den Köpfen der Kunden verankert ist, dann spricht es sich schnell herum. Und so ziehen die Spezis früher oder später alle Kunden, die in ihr Zielgruppenprofil passen, aus den umliegenden "Salons für Jedermann" ab. Verlassen Sie sich drauf!

Erfolgreiche Zielgruppenfindung, Positionierung und Markenbildung führt dazu, dass der **Preis in den Hintergrund rückt**. Das Vertrauen in die Erfüllung der Nutzenerwartung wird das wichtigere Kaufargument.

Dieses Vertrauen wird durch begeisterte Kunden nach außen getragen. So kann ein "Bild" (Image) vom Salon in der Öffentlichkeit entstehen. Und das genau dies geschieht, ist sehr wichtig, denn die "Öffentlichkeit" ist der "Ort", wo Ihre zukünftigen Kunden wohnen. Ihr Salon kann sich auf diese Weise zu einer **Marke** entwickeln.

Das Wort "Marke" bedeutet in diesem Zusammenhang also nicht allein Name und Logo Ihres Salons. Unter "Marke" ist vielmehr ein Bündel von Kenntnissen und Gefühlen im Bewusstsein Ihrer Kunden und der Öffentlichkeit zu verstehen.

Diese Emotionen und Erfahrungen führen Ihre Kunden und potenzielle Kunden gedanklich mit Ihrem Salonnamen, Ihrem Logo und einem eventuellen Slogan zusammen. Eine Marke ist also ein stark positives Gesamtbild, das Kunden und Öffentlichkeit von Ihrem Salon in sich tragen.

Welche Vorteile hat eigentlich eine Marke? Verständlicher formuliert: "Welche Vorteile bietet es, wenn Kunden und

Öffentlichkeit ein starkes Image von Ihrem Salon im Kopf tragen?"

Eine Marke gibt dem Kunden **Sicherheit** über die verlässliche **Erfüllung seiner Nutzenerwartung**. Sie verringert das empfundene Kaufrisiko. Eine Marke wirkt damit als **Entscheidungshilfe** zum Kauf.

Durch diese emotionale Bindung und das Kundenvertrauen, welches Ihr Salon als Marke mitbringt, sind neben schnellerer Neukundengewinnung und besserer Auslastung Ihrer Mitarbeiter sogar höhere Preise für Sie leichter durchsetzbar. Das wiederum wird Ihren Gewinn stabilisieren bzw. erhöhen. So funktioniert erfolgreiches Marketing!

Aber Spezialisierung auf bestimmte Zielgruppen hat noch weitere Vorteile, wie wir im vorangegangenen Fallbeispiel bereits erfahren haben. Innerhalb unserer abgegrenzten **Zielgruppe** haben wir einen **höheren Marktanteil**, denn wir haben weniger Konkurrenten in genau diesem Marktsegment. Das bedeutet, dass umliegende Salons nun kaum noch eine Konkurrenz für uns darstellen, weil diese entweder eine ganz andere Zielgruppe bedienen oder nur ein geringer Anteil unserer Zielgruppe unter deren Kundenschaft zu finden ist. **Somit stehen wir nicht mehr unter Preisdruck.**

Die Positionierung des eigenen Salons als Marke sollte sich von den Positionierungen aller anderen Salons im regional relevanten Markt unterscheiden, um quasi einen **eigenen Markt mit eigenen Preisen** zu erobern.

Es bringt zumeist nichts, zu versuchen, das gleiche „Kästchen“ im Bewusstsein der Kunden besetzen zu wollen, welches ein anderer Salon der Umgebung bereits erfolgreich „belegt" hat. Dann stünden wir wieder in preislicher Konkurrenz.

Einen Salon mit einer Positionierung zu versehen, die bereits ein anderer oder gar mehrere besetzt haben, macht auch absolut keinen Sinn. Die Botschaft "Wir können das auch, was die andern können. Kommen Sie zu uns!" ist völliger Nonsens.

Kaum ein Kunde wird auf so etwas ansprechen. Wenn Leistung und Image austauschbar sind, entscheidet nur noch der Preis. Ihre Botschaft sollte stattdessen lauten: "Wir bieten Ihnen, was kein anderer bietet." Dann werden Sie erfolgreich sein.

Die eigene Marke sollte die angestrebte Position in der Wahrnehmung der Kunden möglichst als erste besetzen und diese sich somit praktisch „reservieren".

Das kann einem Anbieter eine unglaubliche **Marktmacht** verleihen, weil die Kunden einfach nicht glauben können, dass ein eventueller Nachahmer das gleiche bieten könnte wie das "Original". Hierfür wieder ein Beispiel:

Ich hatte im letzten Beispiel unter anderem einen Salon erwähnt, der sich in meiner Stadt als "Szenetreff" für Studenten und andere junge Leute positionierte. Vor einigen Jahren eröffnete ein Friseursalon, der sich als ein weiterer „Szenetreff" darstellte. Dieser versuchte nun auch einen Teil der zahlreichen Studenten der Stadt anzulocken.

Der ältere Konkurrent hatte aber in der Wahrnehmung seiner jungen, lebensfrohen Kundschaft bereits eine Art „Kultstatus" erreicht. Das "Kästchen" im Bewusstsein der Kunden, welches für "Szenetreff" stand, war also durch den älteren Anbieter bereits reserviert. Er war in der Meinung der Kunden und der Öffentlichkeit das unerreichbare Original.

Selbst der niedrigere Preis des neuen Anbieters war den Stammkunden des Originals nicht Grund genug für einen Wechsel. Und so blieb — außer ein paar Teens und Twens aus der Nachbarschaft — der erwartete Kundenzustrom im „neuen Szenetreff" aus. Obwohl der Salon mit noch kultiger anmutenden Aktionen und Events warb, musste er bereits einige Monate nach seiner Eröffnung wieder schließen.

Am vorangegangenen Beispiel erkennen wir, welche Marktmacht eine erfolgreiche Positionierung unserem eigenen Friseur-Konzept verschaffen kann. Doch wie wird eine Positionierung überhaupt erfolgreich?

Erfolgreiche Positionierung muss für die Kunden unserer angestrebten Zielgruppe einen bestimmten Vorteil unserer Marke gegenüber allen anderen widerspiegeln. Dieser Vorteil sollte möglichst einen **Kaufanreiz** für unsere Kunden und potenziellen Neukunden beinhalten.

Dieser Kaufanreiz kann materieller oder nichtmaterieller Art sein, aber er muss ein für unsere Kunden **unverzichtbares, wesentliches Element** darstellen.

Idealerweise ist dieser Kaufanreiz ein sogenanntes **USP** (engl.: unique selling proposition) — ein Nutzenversprechen, dass keiner unserer Konkurrenten bietet. Dieses eindeutige Abgrenzungsmerkmal **unterscheidet** unseren Salon von **allen** anderen Salons der Umgebung.

Besonders wichtig ist dabei, dass wir unsere Positionierung **als erster** Salon der Umgebung für uns einnehmen — sie quasi "besetzen und verteidigen".

Damit unsere Positionierung erfolgreich wird, muss sie...

1. ***sich von den Positionierungen unserer Konkurrenz-Salons klar unterscheiden,***
2. ***von uns als zeitlich erster Salon der Region "besetzt" werden,***
3. ***unserer speziellen Zielgruppe einen einzigartigen und kaufmotivierenden Nutzen (einen materiellen oder nichtmateriellen aber nutzenstiftenden Mehrwert) bieten.***

Für eine langfristig erfolgreiche Positionierung ist es weiterhin erforderlich, dass die Positionierung **glaubwürdig** ist. So werden dann unsere Kunden zu Meinungsführern, die die Positionierung unseres Salons anderen Personen gegenüber kommunizieren. Wie können wir nun die Glaubwürdigkeit unserer Positionierung erreichen?

Um Glaubwürdigkeit zu erreichen, muss unsere Positionierung...

1. ***über längere Zeit unverändert durchgehalten werden,***
2. ***sich in unserer Leistung kontinuierlich widerspiegeln und***
3. ***für unsere Kunden tatsächlich nachvollziehbar und erlebbar sein.***

Um diese drei Punkte zu verdeutlichen, habe ich für jeden Punkt ein "Was wäre, wenn es anders wäre?"-Beispiel:

1. *Würde die Inhaberin des "Bio-Salons" in meiner Stadt sich eine neue Positionierung ausdenken und von einem Tag auf den anderen als "Mutter-Kind-Salon" gelten wollen, so würde es sehr lange Zeit dauern, bis die neue Positionierung in den Köpfen der Kundschaft verankert ist. Wahrscheinlich würde der Salon zuerst seine Bio-Kundschaft verlieren und dann lange auf ausreichend viele*

Muttis und ihre Kinder warten müssen. ***Eine Positionierung muss lange Zeit unverändert durchgehalten werden.*** *Sie kann nicht "mal eben umgeschaltet" werden, denn sie besteht ja in den Köpfen der Kunden und nicht im Kopf des Saloninhabers.*

2. *Würden in dem "Bio-Salon" neben tatsächlichen Bio-Produkten auch Nicht-Bio-Produkte am Kunden angewendet werden, wäre die Positionierung in höchster Gefahr.* ***Die Leistung würde nicht die Positionierung widerspiegeln.*** *Die Kunden würden enttäuscht sein oder gar vermuten, auf einen Werbetrick hereingefallen zu sein, mit dem die Inhaberin nur höhere Preise durchsetzen möchte.*
3. *Würden die Mitarbeiter des "Bio-Salons" die „Natürlichkeit" der zur Behandlung verwendeten Produkte nicht kontinuierlich vor der Kundschaft herausstellen und die Inhaltsstoffe erklären können, wäre die Positionierung als echter „Bio"-Salon ebenfalls in Gefahr.* ***Der Kunde will "Bio" erleben im Salon.*** *Hat der Kunde nach jedem Salonbesuch das sichere Gefühl, seinem Körper durch die Verwendung wertvoller Bio-Haarkosmetik etwas Gutes getan zu haben, dann wird er sich darüber auch mit Freunden und Bekannten austauschen und mit ihnen seine Begeisterung teilen.*

Die erfolgreiche und glaubhafte Positionierung eines Salons als Marke ist eine langfristige Maßnahme der Marketingplanung. Sie erfordert eine Spezialisierung unserer Leistung im Sinne unserer Positionierung.

Mit dem Ziel, unseren Salon erfolgreich positionieren zu wollen, fragen wir uns also nun, was wir an unserer Leistung wie verändern können, damit die Positionierung erfolgreich und zugleich glaubhaft wird.

Wie können wir unsere Dienstleistung nun in Richtung einer bestimmten Positionierung optimieren?

Sollen wir jetzt etwa mit Messer statt mit Schere schneiden, die Haare nach dem Waschen mit Zitrone beträufeln, mit revolutionär anderen Haarfarben färben oder nur noch kalt föhnen?

Ja, das wären durchaus Möglichkeiten, wenn diese Maßnahmen unseren Hauptkunden dann auch einen nachvollziehbaren Nutzen entsprechend ihrer Wünsche bringen. Und natürlich sollten die Kunden durch das kalte Föhnen keinen Schnupfen bekommen ;)

Uns durch die Art und Weise unserer Dienstleistung vom Wettbewerb zu unterscheiden ist also schon einmal eine gute Idee, die gar nicht so schwer umsetzbar sein sollte.

Aber es gibt noch viele weitere Fassetten unserer Dienstleistung, die wir oftmals mit geringem Aufwand auf die Bedürfnisse unsere Zielgruppe ausrichten können. Diese leicht optimierbaren Elemente unserer Leistung zu erkennen, ist eine Frage der richtigen Betrachtungsweise.

Im folgenden Abschnitt möchte ich Ihnen eine bewährte Methode zur Ideenfindung vorstellen.

Die Friseurdienstleistung als ganzheitliches Produkt

Hierzu schauen wir uns ein gedankliches Modell an, das ein Produkt oder eine Dienstleistung als ganzheitliches Gebilde aus Kern und zwei Hüllen beschreibt. Professor Philip Kotler, der dieses Modell der Produktdimensionen einst entwickelte, gilt als Begründer der noch recht jungen Marketinglehre.

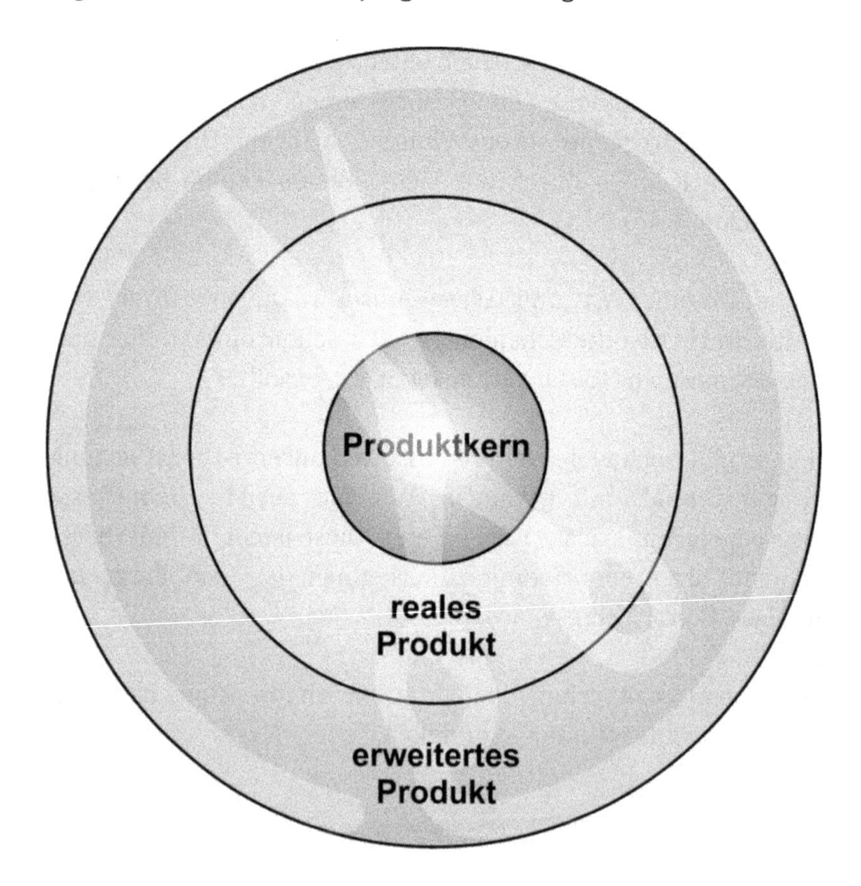

Produktdimensionen nach Philip Kotler

Kotler sagt, der **Kern** jedes Produktes oder Dienstleistung ist der eigentliche Kundennutzen. Dieser wird umhüllt vom realen Produkt und nochmals umhüllt vom erweiterten Produkt.

Unter dem **realen Produkt** versteht Kotler das eigentliche Produkt bestehend aus seiner realen Beschaffenheit (Markenname, Qualität, Verpackung, Produktdesign und Funktionalität).

Das **erweiterte Produkt** sind die Leistungen rund um das Produkt selbst. Dies wären z.B. Telefon-Hotline, Garantieversprechen, Lieferservice usw... So gelingt es aus Marketingsicht ein ganzheitliches Bild vom Produkt zu erhalten.

Nun übertragen wir dieses Modell auf unser eigenes Produkt "Friseurdienstleistung". Nehmen wir als Beispiel einen Friseursalon im Bankenviertel einer Großstadt.

Die vorherrschende potenzielle Klientel sind Bankerinnen, Businessdamen und Karrierefrauen. Anhand zweier unterschiedlicher Kernnutzen erzeugen wir nun zwei mögliche Salonkonzepte, die sich auf den jeweiligen Kernnutzen der speziellen Zielgruppe ausrichten.

Salonkonzept 1

Im ***Kern*** *steht zunächst der von uns identifizierte Hauptnutzen der hier angesprochenen Hauptzielgruppe:*

- *"soziale Anerkennung und Karriereerfolg".*

Das ***reale Produkt*** *"Friseurdienstleistung" könnte hier beispielsweise aus folgenden Bausteinen bestehen:*

- *logisch strukturiertes Beratungskonzept*

- *konventionelle aber moderne Handwerkstechniken*
- *nichtverspielte Kreativität und klare handwerkliche Qualität*
- *englischsprachige Behandlungsbezeichnungen*
- *international anmutender Salonname als Marke*
- *businesstypische Erscheinung und Freundlichkeit der Mitarbeiter*
- *Salonambiente mit exklusivem, aber geradlinig schlichtem Design*
- *internationale Musikauswahl*

Das ***erweiterte Produkt*** *als äußere Hülle besteht beispielsweise aus:*

- *kostenloser 0800-er-Telefonnummer*
- *Möglichkeit der Internet-Terminbuchung*
- *SMS-Terminerinnerung*
- *kürzeste Wartezeiten für die Kunden*
- *Börsen-News im Salon-TV*
- *iPad zum Internetsurfen während der Behandlung*
- *kostenlose WLAN-Einwahl fürs Handy*
- *Kaffee/Wasser-Service*
- *Email-Newsletter zum Thema "Business-Mode"*
- *Bonussystem*
- *Kunden-Events zum Thema "Styling-Tipps für täglich gutes Aussehen im Job"*
- *Zufriedenheitsgarantie mit Angebot eines kostenlosen Nachschnitts usw.*

Stellen Sie sich nun einmal vor, dass wir als Kernnutzen "Stressentlastung, Suche nach totaler Entspannung" gesetzt hätten. Obwohl es auch Bankerinnen, Businessdamen und Karrierefrauen sind, die wir damit als Kunden ansprechen, wäre dies doch eine ganz andere Zielgruppe. Schließlich wollen diese Kunden in eine andere Welt abtauchen und abschalten. Wir hätten damit also unsere Dienstleistung und ihre Hülle völlig anders zu gestalten, um diesen Bedarf bestmöglich zu befriedigen.

Salonkonzept 2

*Der **Kern**nutzen der hier angesprochenen Hauptzielgruppe:*

- *"Stressentlastung, Suche nach totaler Entspannung"*

*Das **reale Produkt** "Friseurdienstleistung" könnte bei diesem Kernnutzen nun beispielsweise aus folgenden Bausteinen bestehen:*

- *ganzheitliches Beratungskonzept für Körper und Seele*
- *auf Entspannung ausgerichtete Abwandlungen der Handwerkstechniken (z.B. Kopfmassage während der Haarwäsche, warme und duftende Nackenkompressen nach dem Haarschnitt u.v.m.)*
- *Arbeit mit hochqualitativen Naturprodukten*
- *leicht verspielte Kreativität bei hoher handwerklicher Qualität*
- *deutschsprachige Behandlungsbezeichnungen mit verträumt märchenhaftem Anklang*
- *exotisch anmutender Salonname als Marke*
- *gepflegt natürliche Erscheinung der Mitarbeiter*
- *gelebte Herzlichkeit im gesamten Salon*
- *exklusives, orientalisch angehauchtes Salondesign*
- *ruhige Salonatmosphäre bei striktem Handyverbot (auch für die Kunden)*
- *instrumentale Entspannungsmusik*
- *gezielt eingesetzter Duft im Salon*

*Das **erweiterte Produkt** als äußere Hülle besteht jetzt*

beispielsweise aus:

- *Tee- und Früchte-Service im Salon*
- *Erinnerung für den Kunden, sein Handy mit Rücksicht auf die anderen Kunden auszuschalten*
- *Abverkauf von gesundheitsfördernden Naturprodukten (pflegende Kosmetika, Nahrungsergänzung)*
- *Kunden-Events zum Thema "mentale Entspannungsmethoden, work-life-balance"*
- *persönliche, handschriftliche Geburtstagskarte für die Kunden*
- *telefonische Zufriedenheitsabfrage eine Woche nach dem Salonbesuch usw.*

Wir erkennen, dass die beiden Dienstleistungskonzepte völlig unterschiedlich geworden sind, weil wir sie auf einen differenzierten Kernnutzen ausgerichtet haben.

Beiderlei Nutzen "soziale Anerkennung, Karriereerfolg" **und** "Stressentlastung, totale Entspannung" würden wir zusammen wahrscheinlich niemals so perfekt bedienen können, als wenn wir uns **nur auf einen** Kundennutzen konzentrieren und alle Bausteine unserer Leistung gezielt darauf ausrichten.

Unsere Dienstleistung wird damit viel passgenauer für eine der beiden Zielgruppen. Die durch unser Angebot angesprochene Zielgruppe wäre sicher kleiner, dafür würden wir aber die Wünsche dieser Kunden perfekt erfüllen können und damit diese Zielgruppe wesentlich intensiver ansprechen. Wir können eben nicht jeden Kunden begeistern. Es jedem recht machen zu wollen, wäre der falsche Weg, wie wir bereits wissen.

Also fokussieren wir uns auf den einen Kernnutzen, den noch kein Konkurrent so gut wie wir bedienen kann.

Beide Salonkonzepte wären prinzipiell möglich. Aber wir müssen uns stattdessen klar für eines der beiden entscheiden, damit wir **höhere Preise** durchsetzen und einen **auskömmlichen Gewinn** erwirtschaften können.

Diese beiden imaginären Salons könnten nun räumlich direkt nebeneinander liegen und würden sich gegenseitig keine preisliche Konkurrenz machen, da sie beide jeweils eine andere Zielgruppe ansprechen.

Die Kotlersche Betrachtungsweise versetzt uns also in die Lage, unsere Dienstleistung in einzelne Komponenten zu zerlegen. Dadurch können wir die einzelnen Bestandteile identifizieren, aus denen unsere Dienstleistung ganzheitlich besteht.

So erkennen wir, an welchen Stellschrauben wir drehen können, damit alle Komponenten unserer Leistung in Richtung der Erhöhung des Kernnutzens unserer Zielgruppe wirken.

Weiterhin können wir Ideen für entsprechende neue Leistungskomponenten generieren, die ebenfalls in Richtung der Nutzenerhöhung zielen.

Schließlich ist es die **Gesamtheit aller Eindrücke** vor, während und nach der Friseurdienstleistung, die von unseren Kunden als **Nutzensumme** wahrgenommen wird. Dieser Gesamtnutzen setzt sich aus den Einzelkomponenten aller drei Dimensionen (Kern, reales Produkt und erweitertes Produkt) zusammen.

Der Kunde fühlt sich optimal verstanden und rund um gut

aufgehoben, wenn er erkennen kann: "Die wissen hier genau, wie ich ticke und was ich brauche. Die denken wie ich, die sind so wie ich." Der Kunde entwickelt eine gefühlsmäßige Beziehung zu unserem Angebot, unserem Salon und den Menschen, die dort arbeiten. Und so wird eines ganz klar:

Im Wettbewerb kämpfen wir nicht ums Geld, sondern um das Herz unserer Kunden.

Diese **freiwillige, emotionale Bindung** der Kunden an Ihren Salon können Sie also dadurch erreichen, dass Sie nicht nur Ihre eigentliche Dienstleistung, sondern auch alle weiteren Bestandteile, welche diese "umhüllen", auf den Kernnutzen Ihrer Zielgruppe ausrichten. Am leichtesten gelingt Ihnen das, wenn Sie selbst eine emotionale Bindung über diverse Gemeinsamkeiten mit Ihrer Zielgruppe haben.

Den "Szene-Friseur" in meiner Stadt führe ich aufgrund der Deutlichkeit seiner Positionierung immer gern als aussagestarkes Beispiel an. Der Salon ist flippig, bunt, verrückt und laut.

Der Inhaber ist selbst eine verrückte Partykanone. Sein Gesicht ist regelmäßig auf den Partys im Studenten-Club und den umliegenden Diskotheken zu sehen. Er trägt verrückte, vielfarbige Frisuren oder Hüte. Fast jeder junge Mensch der Stadt hat seinen Namen zumindest schon einmal gehört.

Seine Kunden sind nicht alle wie er, aber viele wären es gern. Sie bewundern den lebenslustigen Friseurmeister, wenn er den Zigarettenrauch zerteilend, selbstbewusst und enthemmt in Richtung Mix-Ecke tanzt, um die Haarfarbe für die lachend wartende Kundin zu mischen.

Er lebt seine Verrücktheit und ist damit überaus ***authentisch*** *für seine Zielgruppe. Er hat es nicht nötig, sich für seine Positionierung irgendwie anzupassen oder zu verbiegen.*

Das vorangegangene Beispiel stellt den Idealfall dar, denn hier muss der Unternehmer eigentlich nur er selbst sein und sich selbst treu sein, um Erfolg zu haben.

Dieses Glück, dass da einfach schon etwas vorhanden ist, was als Erfolgskonzept erkennbar ist und von vorn herein einen passenden Markt findet, ist jedoch den wenigsten Friseuren vergönnt. Ein Nachdenken darüber kann aber Tür und Tor zum dauerhaften Geschäftserfolg öffnen.

Vielleicht gelingt es Ihnen ja auch, über einige Gemeinsamkeiten oder andere Dinge, die Sie mit Ihrer Zielgruppe verbinden, die ideale Positionierungsidee für sich zu entdecken?

Aber werfen Sie nun nicht gleich Ihr bestehendes Konzept über den Haufen! Analysieren Sie bitte erst, welche Positionierung Sie bei Ihrer Zielgruppe derzeit haben! Vielleicht ist diese ja schon recht günstig und ausbaufähig?

Nachdem wir uns einige der wichtigsten Betrachtungsweisen angesehen haben, werden wir an dieser Stelle nicht tiefer in die Produktpolitik einsteigen. Stattdessen möchte ich auf die geplanten, weiteren Folgen dieser Buchreihe und die Online-Kurse auf ***www.Friseur-Unternehmer.de*** verweisen, wo wir die praktische Umsetzung produktpolitischer Themen eingehend behandeln. So erfahren Sie als registriertes Mitglied auf unserer Website, wie Sie mehr Umsatz durch zusätzliche Dienstleistungsangebote in Ihrem Friseursalon generieren, oder wie Sie Ihr Friseurgeschäft sogar zum ganzheitlichen Beautysalon ausweiten könnten. Wir geben Hinweise zur Wahl des richtigen Lieferanten für Ihren Salon und sagen, was Sie von Ihrem Lieferanten als Ihrem Partner erwarten können und auch einfordern sollten. Sie erhalten Tipps zur Umsatzsteigerung im Produktverkauf, auch wenn die Verkaufsprodukte nicht Ihre eigentlichen Produkte sind, wie Sie ja wissen. So erläutern wir Ihnen die wichtigsten Erfolgsregeln für Ihren Verkaufsbereich und vieles mehr.

Da sich dieses Buch mit dem Basiswissen für erfolgreiches Friseur-Marketing befasst, werden wir hier nicht tiefer in die Produktpolitik eintauchen. Wir wenden uns nun dem nächsten Marketinginstrument zu — der Preispolitik.

Zusammenfassung:

Die Produktpolitik ist das Herz unseres Salon-Marketings. Wir alle betreiben täglich Produktpolitik, um überhaupt eine verkaufbare Dienstleistung anbieten zu können.

Unsere Mitarbeiter sind der wichtigste Bestandteil unserer Produktpolitik. Ihre Stärken und Schwächen entscheiden darüber, wie unsere Friseurdienstleistung vom Kunden wahrgenommen und wertgeschätzt wird.

Der unsichtbare Kern unserer Leistung ist der Kundennutzen. Kunden kaufen keine Frisuren von uns, sondern einen Nutzen, den Sie aus unserer Dienstleistung ziehen. Dieser Nutzen besteht in einer Problemlösung, einer Bedürfnisbefriedigung oder einer Sehnsuchtserfüllung für den Kunden. Die Kenntnis des Kundennutzens ist sehr wertvoll für unseren Geschäftserfolg.

Wenn wir jene Kundengruppe unter unserer Gesamtkundschaft identifizieren, für die wir den höchsten empfundenen Nutzen bieten, finden wir mit sehr hoher Wahrscheinlichkeit unsere Hauptzielgruppe. Mit diesem Wissen können wir unsere Dienstleistung speziell auf unsere rentabelste Kundengruppe zuschneiden. Das erhöht den Nutzen für unsere besten Kunden, lockt automatisch Kunden mit ähnlichem Bedarf an, macht uns unempfindlicher gegenüber unserer Konkurrenz und hilft uns, höhere Preise durchsetzen zu können.

Wir können unsere Friseurdienstleistung gedanklich in seine wichtigsten Bestandteile zerlegen: Nutzenkern, reales Produkt und erweitertes Produkt. Durch diese

Betrachtungsweise sind wir in der Lage, selbst die kleinsten Elemente unserer Leistung auf die Erhöhung des Kundenutzens unserer Zielgruppe auszurichten. Erst die Summe aller Eindrücke und Erlebnisse des Kunden im Zusammenhang mit unserer Leistung ist entscheidend für die Höhe des empfundenen Gesamtnutzens.

Wir können uns als Spezialist für die Erfüllung der Nutzenerwartung unserer Hauptzielgruppe positionieren und so unseren Salon zu einer stabilen, erfolgreichen Marke entwickeln.

Die Preispolitik

Ist Geiz immer noch geil oder mittlerweile schon uncool? Das kann man so pauschal wohl nicht beantworten. Fakt ist, dass es sowohl für Discount-Angebote, als auch für teure Qualitätsangebote sowie für spezialisierte Nischenangebote ausreichend Kundschaft gibt.

Was jedoch auffällt ist, dass seit den 80er Jahren durch die gesamte Wirtschaft eine generelle **Polarisierung in Hochpreis- und Niedrigpreisschiene** stattfindet. Das mittlere Preissegment verschwindet immer mehr aus dem Massenmarkt und "verkriecht" sich in lukrative Nischen.

So ist es für viele Menschen normal geworden, die Woche über ihre Lebensmittel beim Discounter einzukaufen, um sich dann am Wochenende einen teureren Restaurantbesuch zu gönnen.

Die früher üblichen "Tante Emma Läden", die Kaufmannsläden um die Ecke, gibt es heute nicht mehr. An ihre Stelle traten Spezial-Lebensmittelgeschäfte wie Biofeinkost, türkischer Supermarkt, Diabetikereinkauf und vieles andere mehr.

Derselbe Prozess findet auch im Markt der Friseurdienstleistungen statt. Der typische Durchschnittssalon muss langsam weichen zugunsten von Discount-Friseurketten und spezialisierten Einzelsalons.

Allerdings geht die tendenzielle Entwicklung des preislichen Auseinanderdriftens wesentlich langsamer vonstatten als beispielsweise im Lebensmitteleinzelhandel. Ein hohes Ausmaß persönlicher Präferenzen der Kunden — also das oftmals enge Vertrauensverhältnis zwischen Kunde und Friseur — sorgt immer für ein gewisses Maß an Nichtaustauschbarkeit. Dies wiederum lässt höhere Spielräume in der Preisgestaltung zu.

Im Friseurhandwerk ist also durchaus noch ein mittleres Preissegment vorhanden, welches allerdings stetig schrumpft. Viele Salons kämpfen täglich ums Überleben und sind gezwungen sich preislich den Discountern anzunähern.

Unfrei und unfair - Der Markt der Friseurdienstleistungen

Dass der Markt für Friseurdienstleistungen überhaupt ein derart niedriges durchschnittliches Preisniveau entwickeln konnte, erscheint zunächst erstaunlich. Schließlich ist es ein **regulierter Markt**, der im Gegensatz zu einem freien Markt den Preisdruck besser puffern sollte.

Bereits vor vielen Jahren ist der Marktzugang durch den

Meisterbrief künstlich erschwert worden. Der Staat reguliert dadurch seither die Konkurrenzsituation in der Friseurbranche mit dem Ziel, Preise und Löhne zu stabilisieren, und angeblich auch, um ein gewisses Qualitätsniveau zu sichern.

Die einen nennen es "Meisterzwang", die anderen "großer Befähigungsnachweis". Bei derartigen Eingriffen in einen freien Markt gibt es natürlich immer Befürworter genauso wie Gegner. Wer viel Zeit und Geld investiert hat, um im Friseurmarkt mitmischen zu dürfen (Meisterschule), ist natürlich dafür, dass der Markt auch weiterhin begrenzt bleibt. Wer aber nicht hineingelassen wird in den Markt und nicht einsieht, dafür derart viel "Eintrittsgeld" bezahlen zu müssen, ist eben dagegen.

Fakt ist: Es ist generell die bessere Lösung, den Meistertitel zu haben. **Nur mit Meistertitel in der Tasche kann man die Geschäftsmöglichkeiten innerhalb der Marktbegrenzung vollständig ausschöpfen.** Allerdings muss man die Kosten der Meisterschule und die Prüfungsgebühren als Investition betrachten, die sich in den ersten Geschäftsjahren bereits amortisieren müssen. Das heißt, das Geld muss — zusätzlich zum geplanten Gewinn — wieder rein kommen. Also haben schon diese Kosten einen Einfluss auf unsere Preisgestaltung.

Doch selbst für Meister ist der Markt begrenzt. Mehr als zwei Salons zu führen, ist einem einzigen selbständigen Friseurmeister beispielsweise nicht gestattet. Wenn angestellte Meister ausfallen, werden betroffene Salons in Deutschland zwangsweise geschlossen.

In Sachen "Meister" gibt es ein Wirrwarr von unklaren — und teilweise auch unfairen — Richtlinien, Ausnahmen, Sonderregelungen und Schlupflöchern, die von regional unterschiedlichen Handwerkskammern auch noch völlig unterschiedlich umgesetzt werden. Altgesellenregelung, Ausnahmebewilligungen, altersbedingte Unzumutbarkeit und Reisegewerbe sind nur einige Beispiele dafür, wie man einen Markt bürokratisch verkomplizieren kann, nutzlose aber teure Verwaltungsposten schafft, die am Ende wieder von uns kammerpflichtigen Friseuren bezahlt werden müssen. Diese Kosten, lassen unsere Gewinne sinken und müssen durch höhere Preise ausgeglichen werden.

Auf **www.Friseur-Unternehmer.de** informieren wir unsere Mitglieder ausführlich zu allen Themen betreffs der gesetzlichen Bestimmungen und Möglichkeiten rund um den Meistertitel. Da wir uns jedoch keiner Lobby verpflichtet fühlen, sind unsere Informationen neutral. Wir legen die Karten auf den Tisch und verheimlichen, verschönen oder verteufeln nichts, nur um irgendeiner Pro- oder Contra-Meinung zuzuspielen. Schließlich vermitteln wir Wissen und betreiben keine Politik oder Stimmungsmache. Das überlassen wir gern anderen. Wir sind gegen Scheuklappendenken und für einen freien Blick über den Tellerrand — und zwar in alle Richtungen.

Für regulierende Eingriffe in freie Märkte durch staatliche Hand ist der Meisterbrief nur ein Beispiel von vielen. Doch trotz externer Marktregulierung mittels des Meisterbriefes kam es zur **Stagnation in der Preis- und Lohnentwicklung im Friseurhandwerk**. Die Zugangsbegrenzung zum Markt sollte doch eigentlich höhere Preise und damit auch höhere Löhne gewährleisten? Das hat anscheinend nicht geklappt.

Mithilfe des Mindestlohnes wird deshalb nun erneut regulierend in den Markt eingegriffen.

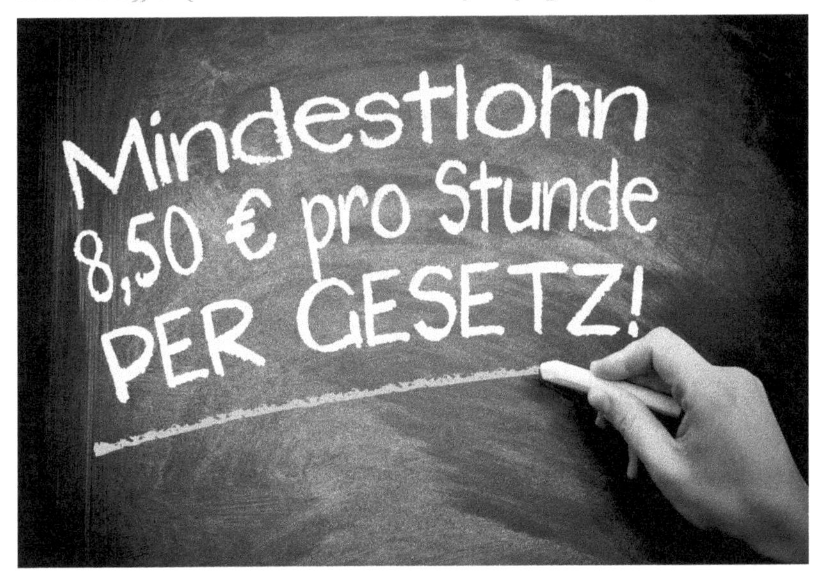

Allerdings wird hier wiederum halbherzig vorgegangen. Wie kann es sein, dass ältere Regelungen, wie z.B. die Umsatzsteuerbefreiung für Kleinunternehmer neben dem neuen Mindestlohn weiterhin existieren dürfen? Will sich die Politik weiterhin mit den so "geschminkten" Arbeitsmarktzahlen selbst hochloben? Die Vermutung liegt nah.

Die Jahresumsatzgrenze von 17.500 Euro zur Mehrwertsteuerbefreiung wird natürlich (offiziell) von keinem als Kleinunternehmer eingestuften Friseur erreicht. Wäre ja auch dumm. Somit ist die Steuerhinterziehung quasi "gesetzlich motiviert".

Das erhöhte Angebot an derartiger Schwarzarbeit führt wiederum zu verschärfter Preiskonkurrenz zwischen Salons auf der einen und "Einzelkämpfern" auf der anderen Seite.

Auch das sind nicht zu leugnende Fakten, welche die Preispolitik unseres eigenen Salons ungemein stark beeinflussen. Denn es führt dazu, dass diejenigen Unternehmer, die Arbeitsplätze schaffen und junge Menschen ausbilden, bestraft werden. Schließlich haben wir dadurch nicht nur legale sondern zusätzlich auch noch **jede Menge illegaler Konkurrenten**, gegen die wir uns preislich behaupten müssen. Und das hat enorme Auswirkungen auf unser Marktumfeld und unsere Preispolitik.

Der Markt für uns Friseure ist regional begrenzt, denn Friseurdienstleistungen kann man (noch) nicht über das Internet durchführen und nicht verschicken. Somit hat jeder Einzelsalon nur ein begrenztes Einzugsgebiet, aus dem ihm Kunden zuströmen können. Und je nachdem wo dieses Einzugsgebiet liegt, hat der Markt mehr oder weniger Kaufkraft zu bieten.

So hat jeder Salon praktisch ein eigenes Marktumfeld, dass nicht pauschal verglichen oder überregional bewertet werden kann. Doch genau das macht die Politik. Durch den deutschlandweit einheitlichen Mindestlohn wird mit der "globalen Keule" zugeschlagen ohne Rücksicht auf regional sehr unterschiedliche Märkte.

So stellt der Mindestlohn Salons in einkommensschwachen Gegenden preispolitisch vor große Herausforderungen. Während im Westen Deutschlands die Bezahlung der Friseurgesellen bereits jetzt die neuen Lohnuntergrenzen meist gar nicht tangiert, sieht es in vielen ostdeutschen Regionen völlig anders aus. Durch den staatlich verordneten Umbau der Lohnstrukturen kommt es zu erheblichen Mehrkosten für unzählige Salons in den neuen Bundesländern. Hier krempelt der Mindestlohn alles radikal um.

Zwangläufig müssen die Preise angehoben werden, um höhere Löhne zahlen zu können. Doch es kann einen Saloninhaber viele Kunden kosten, wenn er seine Preise zu stark anhebt. Es kostet aber garantiert den Gewinn, wenn die Preise zu wenig erhöht werden. Das ist ein handfester Konflikt. Betroffene Friseure müssen jetzt rechnen können, um den goldenen Mittelweg zu finden. Hier muss eine **optimale Preiserhöhung** errechnet werden, die den Gewinn mindestens stabil und die Kunden noch gerade so bei Kauflaune hält.

Als registriertes Mitglied können Sie sich auf unserer Website das eBook "Preiskalkulation mit dem Friseur-Mindestlohn" downloaden, in dem ich eine eigens für diesen Zweck entwickelte Rechenmethode vorstelle. Zusätzlich gibt es einen Lohn-Preis-Kalkulator, der nach der Fütterung mit einigen Daten Ihrer Mitarbeiter und den Preisen Ihrer derzeitigen Preisliste automatisch eine neue Preisliste für jedes Jahr der Mindestlohneinführung für Sie errechnet. Unser frei verfügbares Video "The Mindestlohn Story" wurde von uns produziert, um Saloninhabern ein Werkzeug an die Hand zu geben, mit dem sie das Verständnis Ihrer Mitarbeiter und Kunden für nötige Preiserhöhungen fördern können.

Trotz deutschlandweiter Anhebung der Lohnuntergrenze wird es auch in Zukunft weiterhin Billig- und Hochpreis-Salons nebeneinander geben. Daran wird sich ganz bestimmt nichts ändern. Ändern wird sich aber sehr wohl das durchschnittliche Preisniveau, dass deutschlandweit wohl auf ein neues Level klettern wird. Dennoch behalten beide Preisschienen ihre eigene Kundschaft am Markt.

Fraglich ist jedoch die Zukunft mittelpreisiger Friseursalons. Seit vielen Jahren beobachten Marketingforscher, dass **das mittlere**

Preissegment auch im Friseurhandwerk immer kleiner wird. Die Polarisierung in Niedrigpreis- und Hochpreisschiene ist deutlich erkennbar. Aber warum ist das eigentlich so?

Grundgedanken zum Friseur-Preiskonzept

Die meisten Friseure haben sich noch nie eingehend mit ihrer eigenen Preispolitik beschäftigt. Viele wollen ihren Kunden eine hohe Dienstleistungsqualität und gleichzeitig einen möglichst niedrigen Preis bieten.

Andere sind, was den Preis betrifft, völlig konzeptlos. Sie meinen, ein Preis irgendwo in der Mitte zwischen Billig- und Hochpreisschiene wäre schon okay für die Kunden. Sie denken, eine gute Dienstleistung am Kunden zu erbringen wäre der alleinige Schlüssel zu ewig währendem Geschäftserfolg.

Über die tatsächliche Wirkung der eigenen Preispolitik denken jedoch nur wenige nach. Die meisten Friseure versuchen entweder den Spagat zwischen billigem Preis und hoher Qualität, oder sie versuchen irgendwo in der Mitte "mit zu schwimmen".

Warum das in der Praxis nicht dauerhaft funktionieren kann, hat Michael E. Porter bereits Anfang der 80-er Jahre erkannt und begründet. Porter ist seither anerkannt als einer der führenden Managementdenker unserer Erde. Er wurde unter anderem durch seine sogenannten "generischen Wettbewerbsstrategien" bekannt.

Diese generellen Erfolgsstrategien werde ich Ihnen nun zunächst kurz erläutern. Danach erzähle ich Ihnen eine Geschichte aus der "rauen Wirklichkeit" des Friseurlebens, anhand der Sie die

Wettbewerbssituation und die unterschiedlichen Strategien der realen Marktteilnehmer ganz deutlich erkennen werden.

Wendet man die Porterschen Strategien also auf die Friseurbranche an, ergeben sich insgesamt vier mögliche Erfolgsstrategien, zwischen denen jeder Friseurunternehmer sich klar entscheiden sollte:

generische Wettbewerbsstrategien nach Porter

Porter sagt, es ist unbedingt notwendig, sich von einem Kostenführer zu differenzieren (zu unterscheiden). Ein Kostenführer ist derjenige Salon im regionalen Markt, der aufgrund der günstigsten Kostenstrukturen den dauerhaft günstigsten Preis bietet.

Einem Kostenführer preislich Paroli zu bieten, ist aussichtlos. Es hilft nur, sich durch Differenzierung der Konkurrenzsituation zu entziehen.

Sich zu "entziehen" klingt vielleicht nach "flüchten", das ist es aber keinesfalls. Vielmehr eröffnet diese Betrachtungsweise uns einige strategische Schachzüge, um der Übermacht anderer Wettbewerber entkommen zu können und dabei selbst ein "Gewinner" zu sein.

Uns stehen also mehrere Wege offen, trotz der enormen Wettbewerbsstärke anderer Anbieter selbst auch erfolgreich zu sein. Dies kann man zum einen erreichen, indem man in der Lage ist, dem Kostenführer im Gesamtmarkt als **Qualitätsführer** gegenüberzutreten.

Da aber so ziemlich alle Friseursalons im regionalen Markt aus Selbstschutz behaupten, eine bessere Qualität leisten zu können als der Discounter, ist es nicht so einfach, auch tatsächlich als Qualitätsführer unter allen ansässigen Friseuren wahrgenommen zu werden.

Aber zum Glück gibt es in Porters Modell noch einen weiteren Weg der Differenzierung vom Kostenführer, welcher wesentlich einfacher gangbar ist.

Differenzierung kann man nämlich auch erreichen, wenn man sich auf ein bestimmtes Marktsegment fokussiert. Das heißt, man konzentriert sich auf eine erfolgversprechende **Marktnische**.
Dieser Teilmarkt kann zum Beispiel eine ganz bestimmte

Kundengruppe sein, auf deren Bedarf wir unserer Salonkonzept ausrichten. Dadurch können wir die Nutzenerwartung unserer Zielgruppe besser erfüllen als der Kostenführer es kann.

Wir sind in unserer Leistung nun nicht mehr direkt vergleichbar mit dem Kostenführer. Die preisliche Konkurrenzsituation entschärft sich.

Sobald ein Konkurrent in unseren Teilmarkt eintritt, müssen wir uns allerdings auch hier in unserer Nische klar entscheiden, ob wir als Qualitäts- oder Kostenführer wahrgenommen werden wollen.

Anbieter, die sich zwischen diesen vier möglichen Strategien nicht eindeutig entscheiden können oder wollen, sondern mehrere dieser Strategien gleichzeitig verfolgen, bezeichnet Porter als „stuck in the middle". Das bedeutet so viel wie "in der Mitte feststeckend".

Porter hat nachgewiesen, dass diese unklare strategische Position eine geringere Kapitalrentabilität — also Gewinnarmut — zur Folge hat, was wiederum die Wettbewerbsfähigkeit schwächt.

So ist es beispielsweise für einen Friseursalon nicht machbar, Qualitätsführer und Kostenführer zugleich zu sein. Es ist schier unmöglich, die höchste Qualität und zugleich den dauerhaft günstigsten Preis am Ort zu bieten. Schon gar nicht dann, wenn der konkurrierende Kostenführer eine große Friseurkette ist. Schauen wir uns die Positionen der konkurrierenden Salons in der folgenden Grafik einmal genauer an.

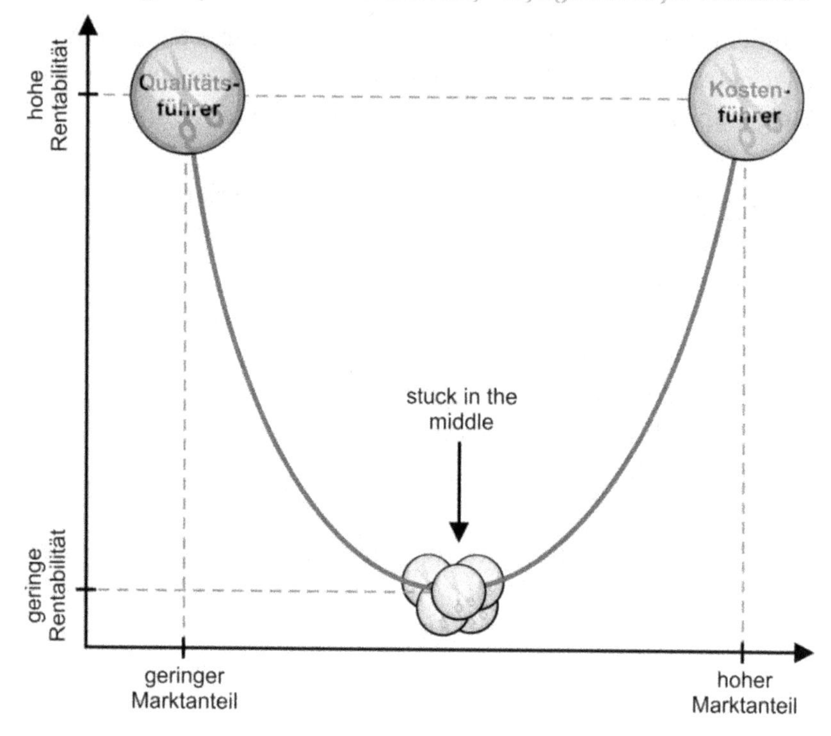

"stuck in the middle"-Position nach Porter

Der Kostenführer-Salon kann aufgrund minimierter Kosten den niedrigsten Preis am Markt bieten. Dadurch hat er sehr viele Kunden — also einen hohen Marktanteil. Trotz der niedrigen Preise arbeitet der Salon deshalb sehr rentabel, wirft also gute Gewinne ab.

Der Qualitätsführer-Salon hat hohe Kosten, kann aber aufgrund der besten Qualität am Markt die höchsten Preise verlangen. Dadurch, dass die Preise so hoch sind, kann sich jedoch nicht jeder Kunde diesen Salon leisten, die Kundenzahl und damit der Marktanteil ist vergleichsweise gering. Trotzdem erwirtschaftet auch dieser Salon satte Gewinne. Er arbeitet ebenfalls höchst rentabel.

Die "stuck in the middle"-Salons haben sich nicht klar für eine Strategie entschieden. Sie können dem Qualitätsführer nicht das Wasser reichen, haben aber dafür auch nicht so hohe Preise wie dieser. Somit haben diese Salons einen etwas größeren Marktanteil als der Qualitätsführer. Da sie sich aber vom Kostenführer nicht eindeutig durch ganz besondere Qualität oder andere Alleinstellungsmerkmale unterscheiden, müssen sie sich ständig mit dessen Preisen vergleichen lassen. Dies zwingt sie zur preislichen Annäherung an den Kostenführer, obwohl die eigenen Kosten viel höher sind als die des Kostenführers. Das wiederum führt zu einer geringen Rentabilität. Die Salons werfen zu wenig Gewinn ab.

Zur Erläuterung der Weisheiten Porters schauen wir uns wieder ein Beispiel aus der Friseurbranche in meiner Heimatstadt an. Diese wahre Geschichte könnte sich in jeder Stadt genau so zugetragen haben. Wahrscheinlich kennen Sie die Situation in ähnlicher Form aus Ihrem eigenen Ort.

Die Essanelle Hairgroup AG betreibt seit 2002 einen Friseursalon im Karstadt-Kaufhaus meiner Stadt. Dieser Salon gehört zur Essanelle-Marke „Hair-Express“ und wurde bei uns als 9-Euro-Salon eingeführt.

Hier werden bis heute die Dienstleistungen des Friseurhandwerks zu knallhart kalkulierten Discountpreisen angeboten und beworben. Mit dem damaligen Preis von 9,- Euro für jede Friseurdienstleistung unterbot der Essanelle-Salon sämtliche anderen Friseurgeschäfte der Stadt. Die beliebte Friseurdienstleistung "Waschen/Schneiden/Föhnen kurz" kostete somit bei „Hair-Express“ nur 18,- Euro.

Möglich werden solche Preise immer nur durch die Kostenstruktur eines großen Filialisten wie der Essanelle Hairgroup AG. Die Waren werden zentral und in sehr hohen Mengen eingekauft. Durch diese große Nachfragemacht kann das börsennotierte Friseurunternehmen äußerst günstige Einkaufspreise für das haarkosmetische Material beim Lieferanten aushandeln.

Die Miete dürfte relativ gering sein, denn sie wurde über eine deutschlandweit gültige Kooperationsvereinbarung mit dem Karstadt-Konzern für mehrere Standorte im Paket ausgehandelt. Sie merken, bei diesem Geschäftskonzept geht es darum, umfassende Kostenoptimierung als Wettbewerbsvorteil nutzen zu können.

Auch die Bezahlung der meisten Mitarbeiter im Billigsalon geht wohl meist nicht weit über die unterste tarifliche Grenze hinaus. Die zumeist sehr jungen und deshalb sehr leistungsfähigen Mitarbeiterinnen leisten vielerorts „Fließbandarbeit". Das erhöht die Effektivität des Personaleinsatzes. Wahrscheinlich ermöglicht es aber nur mittelmäßige handwerkliche Leistungen und geringere kommunikative Qualität. Selbst die Schulung des Personals kann unter dem Dach der Essanelle Hairgroup AG zu geringsten Kosten durchgeführt werden.

Der „Hair-Express"-Salon trat also damals in unseren regionalen Markt ein. Nach Porter war dies eine klare Wettbewerbsstrategie des Kostenführers, die er bis zum heutigen Tage inne hat.

Einige der alteingesessenen Salons — speziell jene, die sich nie um ein besonderes Image bemüht hatten — blieben auf der Strecke, da ihre Kunden reihenweise in den neuen Billigsalon abwanderten und neue Kunden ausblieben.

Gegen diesen Preisdruck konnten sich nur jene Salons behaupten, die sich bereits vor dem Auftauchen von „Hair-Express" in der Stadt ***erfolgreich differenziert*** *hatten. Im Folgenden drei Beispiele für verschiedene, erfolgreiche Salons in unserem regionalen Friseur-Markt.*

Da gibt es den bereits erwähnten Studentenfriseur, der sich als hipper Laden der jungen Intelligenten differenziert hatte. Hier kostete die Referenzbehandlung "Waschen/Schneiden/Föhnen kurz" zum damaligen Zeitpunkt 22,- EUR. Der Preis war damit um 22% höher als der des Kostenführers. Die Kunden der Zielgruppe dieses Salons waren dennoch bereit, diesen Preis zu bezahlen. Und das, obwohl Studenten im Allgemeinen nicht unbedingt "gut betucht" sind. Der Grund dafür war, dass der Salon sich erfolgreich differenziert und in einer Nische positioniert hatte. Bei Studenten und vielen anderen jungen Leuten hat der Laden bis heute Kultstatus. Das ist erfolgreiche Differenzierung. Der Saloninhaber musste sich bislang noch nicht zwischen Qualitäts- oder Kostenführung in seinem Nischenmarkt entscheiden, da bisher kein ernst zu nehmender Konkurrent in seiner Nische aufgetaucht ist.

Weiterhin gibt es bei uns einen Salon, der sich als „High Society"-Friseur auf ein kleineres aber gewinnträchtiges Marktsegment fokussiert und sich innerhalb dieses Marktsegments eindeutig als „Qualitätsführer" differenziert hat. Hier treffen sich bis heute Unternehmerfrauen, städtische Politiker und hochrangige Beamte, die von den beiden Inhaberinnen (Mutter und Tochter) stets persönlich bedient und umschmeichelt werden. Die Mitarbeiter in diesem Salon fungieren lediglich als Handlanger zur Entlastung der zwei Meisterinnen, die höchstpersönlich für kontinuierliche Qualität der Behandlungen und eine immer gleiche persönliche „Handschrift" in den Behandlungsergebnissen sorgen. Die Referenzbehandlung "Waschen/Schneiden/Föhnen kurz" kostete hier 27,- Euro zum damaligen Zeitpunkt. Das waren satte 50% mehr gegenüber dem Preis des in den Markt platzenden Kostenführers „Hair Express"! Dennoch sorgte die klare Differenzierung als „Qualitätsführer" dafür, dass die Bedeutung des Preises für die Kunden völlig in den Hintergrund gerückt war — bis hin zum Effekt der Qualitätsvermutung: "Die sind ja die teuersten am Platz. Wenn die Kunden das tatsächlich bezahlen, dann ***muss*** *die Friseurdienstleistung in diesem Salon ja wohl außergewöhnlich gut sein."*

Und es gibt unseren eigenen Salon, den ich beispielführend hier auch einmal erwähnen möchte. Wir haben ihn als einzigen „Schönheits-Allrounder" der Stadt positioniert. Die für unsere Umgebung außergewöhnliche Größe unseres Salons und unser vielseitig geschultes, derzeit 12-köpfiges Team machen es möglich, ein in unserer Stadt einzigartiges Dienstleistungsportfolio an Friseur- und Beautybehandlungen unter einem Dach anzubieten. Unsere Kunden sind Menschen, die rundum schön und ganzheitlich beraten sein wollen. Bei uns kostete die Referenzbehandlung "Waschen/Schneiden/Föhnen kurz" zum damaligen Zeitpunkt 25,- EUR. Das waren 39% mehr als beim Discounter. Dennoch verzeichnete unser Salon nur vereinzelt Kunden, die der damaligen "Geiz ist Geil"-Welle folgten und abwanderten. Auch wir hatten unser Geschäftskonzept also bereits im Vorfeld erfolgreich vom Gesamtmarkt weg in eine Nische hinein differenziert.

Jeden der eben beschriebenen Salons gibt es noch heute, viele andere Salons hingegen nicht mehr. Deren Inhaber versuchten damals den Spagat zwischen Qualitäts- und Kostenführerschaft. Die Qualität ihrer Friseurdienstleistungen war durchaus gut. Weil ihnen aber ein echtes Differenzierungsmerkmal fehlte, mussten sie höllische Angst vor der Kundenabwanderung zum Kostenführer haben. So versuchten sie, sich dem 9-Euro-Salon preislich anzunähern, indem sie den Preis niedrig hielten oder sogar auf Kostenführerniveau senkten.

Einer warb sogar mit dem Slogan "Es liegt nur am Geld! Qualität zum Discountpreis!" und ließ seine "clevere" Preisstrategie in mehreren Presseartikeln hochloben. Kurz darauf musste er den ersten seiner beiden Salons schließen. Der zweite brannte wenig später auf sehr mysteriöse Weise ab. Ein Gericht untersuchte die mutmaßliche "Warmsanierung", konnte dem Inhaber die Brandstiftung damals aber nicht nachweisen.

Einem Kostenführer wie der riesigen Essanelle Hair Group AG kann man als lokal tätiger Friseur preislich keine Konkurrenz machen. All diesen nicht positionierten Einzelsalons fehlte das besagte differenzierende Merkmal. Also erschien ihren Kunden die Friseurdienstleistung mit der von "Hair-Express" austauschbar zu sein. Und so entschieden sich viele ihrer Kunden für den günstigeren Preis bei "Hair-Express".

Es war nicht die Masse ihrer Kunden, die abwanderte. Dennoch fehlten deren Umsätze, so dass der Gewinn sich langsam aber sicher davonschlich. Einer nach dem anderen musste seinen Laden dicht machen.

Auch der "Bio-Salon" fiel dem Preiskrieg zum Opfer, weil die Inhaberin nicht klar zu ihrer bisherigen Positionierung stand, sondern plötzlich versuchte auch "billig" zu sein. Dadurch verlor jedoch ihr Bio-Image an Glaubwürdigkeit. Nach und nach blieben immer mehr Kunden aus.

Keiner dieser Verlierersalons hatte seinen Kunden gegenüber erfolgreich und glaubhaft eine Andersartigkeit, eine ***Nichtaustauschbarkeit*** *kommunizieren und beweisen können.*

Somit lag keine echte Differenzierung vor. Wahrscheinlich wissen deren ehemalige Inhaber bis heute nicht, dass Sie damals dringend ein Differenzierungsmerkmal gebraucht hätten. Da sind Sie als Leser dieses Buches also klar im Vorteil und können aus Geschichten wie dieser sicher etwas für sich selbst mitnehmen.

Wer sich preislich einem Kostenführer anpasst, wird im Konkurrenzkampf zwangsläufig den Kürzeren ziehen.

Kein Einzelsalon kann auf Dauer ähnlich niedrige Preise nehmen wie die professionelle Billigkonkurrenz. Schließlich sind die eigenen Kosten eines Einzelsalons immer höher als die eines Kostenführers. Und diese Kosten zehren empfindlich am Gewinn, sobald die Einnahmen durch die Preissenkung und die eventuelle Kundenabwanderung zu sinken beginnen.

Wer Plus und Minus rechnen kann, der weiß, dass das schief gehen **muss**. Und genau diesen Sachverhalt beschreibt Porter in seinen Wettbewerbsstrategien.

Ich kenne bisher keinen Friseurunternehmer, der durch Jammern und Meckern über die "böse Billigkette nebenan" von seinen Kunden eine höhere Loyalität erwarten konnte. Solch mitleiderregendes Verhalten ist nicht dafür geeignet, den Kunden zu beweisen, dass man der Bessere für sie ist.

Versuchen Sie stattdessen rechtzeitig, eine **nutzenstiftende Stärke** ihres eigenen Salons zu identifizieren, welche Sie von ihrem Wettbewerb **unterscheidet**, und diese gezielt zu entwickeln! Es sollte eine Stärke sein, die Ihre Dienstleistung **einzigartig** macht, und deren Einzigartigkeit für den Kunden tatsächlich **dauerhaft erlebbar** ist.

Diese Stärke sollte ein Merkmal sein, das nicht so einfach von einem Konkurrenzsalon kurzer Hand nachgeahmt werden kann. Sonst wäre Ihr Alleinstellungsmerkmal sofort wieder dahin und sie bräuchten ein neues. So schnell können Sie aber das Bild, welches die Menschen von Ihrem Salon im Kopf tragen, nicht ändern.

Also entscheiden Sie sich für eine Stärke, von der Sie wissen, dass sie nicht so leicht "nachzuäffen" ist. Eine Stärke, die Sie **glaubhaft** zu kommunizieren in der Lage sind, weil Ihre Kunden diese Stärke tatsächlich und **tagtäglich erleben** können in Ihrem Salon. Nur so können Sie sich dem auf "Vernichtung" ausgerichteten Preiskampf mit übermächtigen Kostenführern clever entziehen.

Aber denken Sie daran, dass Marketing keine Feuerwehr ist! Egal was Sie kommunizieren, es muss ehrlich sein, zur Positionierung passen, Nutzen für Ihre Zielkunden stiften, lange Zeit gültig und tatsächlich erlebbar sein.

Auf ***www.Friseur-Unternehmer.de*** finden Sie als registriertes Mitglied im Bereich Preispolitik weitere vertiefende Kurse. So informieren wir Sie über die Wichtigkeit von Preistransparenz und Ihre gesetzliche Verpflichtung zur Preisauszeichnung, sowie zur richtigen Umsetzung von Preiserhöhungen. Da auch die Kosten unsere Preise beeinflussen, finden Sie auf unserer Website auch Hinweise zu GEMA- und GEZ-Gebühren, zur Senkung der Kosten für die Kartenzahlung in Ihrem Salon, zur Senkung Ihrer Stromkosten, zur Aktivierung eines montäglichen Ruhetags als Umsatzbringer, zur cleveren Kostensenkung durch Skonto und Bankeinzug und einige nützliche Tipps mehr. Wir informieren auch über die erforderlichen (bzw. wirklich nötigen) Versicherungen für selbständige Friseure und warnen Sie vor

Steuerfallen. Es gibt viele Dinge betreffs der Preispolitik von Friseuren, die sowohl in diesem Buch als auch auf unserer eLearning-Website bisher unbeachtet geblieben sind. Als registriertes Mitglied unserer Website können Sie sich also auf viele zukünftige eBooks, Videos und Audio-Kurse freuen.

In diesem Buch Nr.1 der Serie "Erfolgswissen für Friseure" bleiben wir jedoch weiterhin bei den grundsätzlichen Sichtweisen des erfolgreichen Friseur-Marketings — dem grundlegenden Basiswissen.

Nach der Zusammenfassung dieses Abschnitts wenden wir uns dann der Kommunikationspolitik zu und verschaffen uns einen grundlegenden Überblick über das vielfältigste Instrument im Marketing-Mix.

Zusammenfassung:

Die Polarisierung in Hoch- und Niedrigpreisschiene ist zunehmend auch im Markt der Friseurdienstleistungen zu beobachten. Das mittlere Preissegment schrumpft Zusehens.

Die jahrzehntelange Stagnation in der Preisentwicklung hat das Marktumfeld für Friseursalons immer schwieriger werden lassen. Administrative Markteingriffe durch den Staat wie die bereits lang bestehende Meisterpflicht oder der neue deutschlandweite Mindestlohn scheinen keine positiven Effekte im Markt auszulösen, sondern den Unternehmern das (Über)Leben eher nur schwerer zu machen.

Um am Markt bestehen zu können, sollten Saloninhaber sich für eine klare Wettbewerbsstrategie entscheiden. Wer sich nicht zwischen Kosten- oder Qualitätsführung bzw. zur Fokussierung in einem bestimmten Marktsegment entscheiden kann oder will, wird aufgrund von Gewinnarmut sehr wahrscheinlich bald zur Aufgabe seines Salongeschäftes gezwungen sein.

Saloninhaber sollten eine nutzenstiftende Stärke ihres eigenen Salons identifizieren, welche Sie von ihrem Wettbewerb klar unterscheidet, und diese gezielt zu einem Wettbewerbsvorteil weiterentwickeln.

Die Kommunikationspolitik

Die Kommunikationspolitik bietet unserem Marketing die Instrumente, um auf unsere Leistung aufmerksam zu machen.

Die wichtigsten Unterinstrumente, die uns die Kommunikationspolitik zur Verfügung stellt, heißen:

- ***Werbung***
- ***Öffentlichkeitsarbeit (PR = public relations)***
- ***Verkaufsförderung***
- ***persönlicher Verkauf***
- ***Direktmarketing***

"Werbung" steht für alle nicht persönlich durchgeführten Präsentationen Ihres Salons oder Ihrer Dienstleistungen in dafür bezahlten Medien (z.B. Zeitungsanzeigen, Hervorhebungen im Telefonbuch oder den Gelben Seiten, Außenanlagen und Schaufensterwerbung, Content-relevante Internet-Anzeigen durch Facebook-Ads oder GoogleAdwords, Werbeschilder auf Einkaufwagen, Folienschriften auf Taxis und Bussen, Radiospots und vieles, vieles mehr).

Mittels der **"Öffentlichkeitsarbeit"** soll Ihr wirtschaftliches Umfeld (Kunden, Öffentlichkeit, Mitarbeiter, Lieferanten usw.) positiv zu Ihrem Salon eingestellt und bestehende Beziehungen gepflegt werden (z.B. Pressemitteilungen, Kunden-Zeitschrift, Postings auf der Facebook-Fanpage Ihres Salons und vieles mehr).

"Verkaufsförderung" steht für kurzfristige Anreize, welche den Verkauf Ihrer Dienstleistungen fördern sollen (z.B. kostenlose Shampoo-Probe als zeitlich begrenzte Zugabe zur neuen Färbe-Dienstleistung und ähnliches).

Den **"persönlichen Verkauf"** führt jeder Mitarbeiter Ihres Salons und Sie selbst, wenn Sie persönlich mitarbeiten, jeden Tag mehrfach durch. Kunden zu beraten, Ihnen eine spezielle Variante Ihrer Dienstleistung vorzuschlagen und sich dafür schließlich die Zustimmung des Kunden einzuholen ist "Verkaufen". Friseure sollten also kreative Handwerker und erfahrene Verkäufer gleichermaßen sein.

"Direktmarketing" ist die Bezeichnung für die direkte Ansprache bestehender Kunden über ein Übermittlungsmedium (z.B. Telefonat zur Zufriedenheitsabfrage nach einem Salonbesuch, personalisierter Brief oder E-Mail-Newsletter mit

Sonderangebot, SMS oder Anruf zur Terminerinnerung usw.)

Oftmals werden auch weitere Unterinstrumente wie Eventmarketing, Social Media Marketing, Sponsoring oder Produkt Placement genannt, die man aber tatsächlich alle irgendeinem der fünf genannten Unterinstrumente kategorisch zuordnen kann. Warum also die Dinge verkomplizieren, wenn es auch einfach geht?

Kommunikation als Erfolgsbeschleuniger

Die Kommunikationspolitik ist ein sehr umfangreiches Teilgebiet des Marketings, welches in diesem Buch noch nicht ausführlich behandelt werden soll. Dafür gibt es Kurse auf unserer Website, und es wird sicher noch viele Veröffentlichungen von mir zu diesem interessanten Themenbereich geben.

Mancher Friseur meint, auf aktive Kommunikation (z.B. durch Werbung) verzichten zu können. Deshalb interessiert uns hier zunächst folgende Frage: "Warum müssen wir unsere Leistung denn überhaupt aktiv kommunizieren? Es spricht sich doch so wie so von allein herum, wenn wir gut sind. Wozu also Geld ausgeben für Werbung?"

Bereits im Abschnitt "Produktpolitik" hatte ich ja versprochen, Ihnen eine Antwort auf diese Frage zu liefern.

Ich behauptete, dass Friseure, die hochqualitative Dienstleistungen bieten, sich aber bei der Kommunikation allein auf die Mund-zu-Mund-Propaganda verlassen, wertvolle Zeit und damit bares Geld verschenken. Warum ich davon so überzeugt bin, schauen wir uns in einer Grafik an.

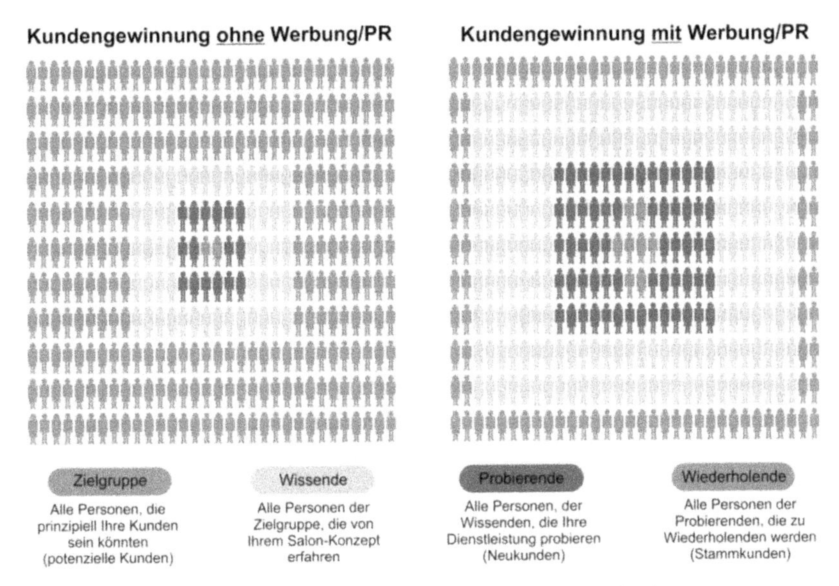

Erfolgsbeschleunigung durch Kommunikation

Betrachten Sie bitte zunächst die **linke** Hälfte der Grafik:

Ihr Salon bietet hochwertige Dienstleistungen an, die Ihrer Zielgruppe (grau) einen echten Nutzen bieten. Ihre bisherigen Kunden sind sehr zufrieden und machen Mund-zu-Mund-Propaganda. Dadurch erfahren einige außenstehende Personen von Ihrem guten Service, sie werden zu "Wissenden" (gelb).

*Aber nicht alle Personen, die von Ihrem Salon wissen, kommen auch tatsächlich zu Ihnen. Nur ein Teil dieser wissenden Personen kommt als Neukunden in Ihren Salon. Diese Personen sind die **"Probierenden" (blau)**.*

*Von denen bleibt wiederum nur ein Teil Ihrem Salon als Stammkunden treu und wird damit zu den **"Wiederholenden" (rot)**. Dies sind die treuen Stammkunden, die Sie eigentlich wollen* *und brauchen, um mit Ihrem Salon dauerhaft Geld zu verdienen.*

Betrachten sie jetzt bitte die **rechte** Hälfte der Grafik im Vergleich zur linken:

Es liegt die gleiche Ausganssituation vor. Ihr Salon bietet hochwertige Dienstleistungen an, die Ihrer ***Zielgruppe (grau)*** *einen echten Nutzen bieten. Ihre bisherigen Kunden sind sehr zufrieden und machen Mund-zu-Mund-Propaganda. Bis hierhin ist alles gleich.*

Zusätzlich betreiben Sie aber nun aktive Kommunikation auf mehreren Kanälen gleichzeitig. Sie machen beispielsweise PR durch Pressearbeit, wodurch Sie hin und wieder einen kostenlosen Artikel im Stadtblatt erhalten. Sie schalten dort als "Gegenleistung" einmal im Monat eine attraktive Zeitungsanzeige. Zudem veröffentlichen Sie eine "Gefällt Mir"-Anzeige für Ihre neue Facebook-Fanpage und versorgen Ihre so gewonnenen Facebook-Fans ab sofort regelmäßig mit Fotos Ihrer tollen Arbeiten direkt per Handy aus Ihrem Salon. Sie verteilen toll gestaltete Flyer an umliegende Haushalte und in Ladengeschäften. Sie lassen eine Salon-Website erstellen, mit der Sie über Google bei Eingabe der Suchwortkombination "Friseur" und des Namens Ihrer Stadt sofort auffindbar sind. Und so weiter...

Durch diese zusätzlichen Maßnahmen der Kommunikation erfahren jetzt viel mehr außenstehende Personen von Ihrem guten Service. Der Kreis der "Wissenden" (gelb) ist damit von Beginn an wesentlich größer.

Aber natürlich kommen wieder nicht alle Personen, die von Ihrem Salon wissen, tatsächlich als Neukunde zu Ihnen. Und doch sind es viel mehr dieser ***"Probierenden" (blau)****, da ja bereits der Kreis* *der "Wissenden" (gelb) schon viel größer ist. Potenzielle Kunden können eben nur zu Neukunden werden, wenn Sie von der Existenz Ihres Salons wissen.*

Je mehr Personen der Zielgruppe von Ihrem Salon erfahren, umso mehr Neukunden sind möglich, die sich durch ihre Umsätze an Ihren Werbekosten quasi "beteiligen". Von denen bleibt Ihnen wiederum ein Teil als ***"Wiederholende" (rot)*** *treu. Die Anzahl dieser Stammkunden ist nun aber auch größer, da aufgrund Ihrer zusätzlichen Kommunikation ja bereits mehr Kunden zum Probieren in Ihren Salon gekommen waren.*

Am Ende haben Sie also schneller eine größere Anzahl an Stammkunden zusammen, die regelmäßig sicheres Geld in Ihre Kasse zahlen.

Verstehen Sie die Grafik bitte nicht falsch! Die Personen-Symbole sind als relative Mengendarstellung zu verstehen und nicht als absolute Kundenanzahl. Niemand würde einen solchen Werbeaufwand für eine Hand voll Kunden betreiben. Es werden also nicht aus zwei Stammkunden acht, sondern die Kundenanzahl vervierfacht sich im dargestellten Beispiel. So könnten aus vielleicht 150 treuen Stammkunden in überschaubarem Zeitraum durchaus 600 Stammkunden werden.

Ob und in welchem Maße Ihre Kommunikation sich auf Ihre Kundengewinnung tatsächlich auswirkt, hängt von mehreren Faktoren ab. So sind die Häufigkeit, Intensität und Qualität von Werbeauftritten immer auch eine Kostenfrage, deren Risiko mit der Chance auf Kundengewinn abgewogen werden muss.

Diese Chance selbst wird ebenfalls durch verschiedene Faktoren beeinflusst, wie z.B. durch das Marktpotenzial — also der Anzahl der als Kunde infrage kommender Zielpersonen in Ihrer Umgebung.

Es bringt Ihnen nichts, wenn Sie mit 1000 Euro Werbekosten nur 20 Neukunden in Ihren Salon holen. Sie müssten ca. 6000 Euro Mehrumsatz durch die Werbung im Salon erzielen, um nur die Kosten von 1000 Euro wieder einzufahren. Bei einem durchschnittlichen Behandlungspreis von 30 Euro müssten Sie also 200 Neukunden generieren, um die 1000 Euro direkt wieder in der Tasche zu haben.

Wenn es Ihnen allerdings gelingen sollte, die nur 20 Neukunden alle samt in Stammkunden zu verwandeln, dann hätte sich die Investition der 1000 Euro langfristig gelohnt. Erfahrungsgemäß bleibt allerdings meist nur ein Teil der durch Werbung gewonnenen Neukunden dem Salon als Stammkunde treu.

Bevor man also Geld für Werbung ausgibt, sollte man immer etwas Marktforschung betreiben, um Chance und Kosten gegeneinander abzuwägen.

Das prinzipielle Fazit aus unserem grafischen Vergleichsbeispiel lautet also:

Wenn man durch wohlkalkulierte Kommunikationspolitik in der Lage ist, von vornherein die Bekanntheit eines nutzenstiftenden Angebotes zu erhöhen, bekommt man schneller eine größere Anzahl treuer Kunden zusammen, als wenn man nicht aktiv kommuniziert.

"Verlorene Zeit wird nicht wiedergefunden" *(Benjamin Franklin)*

Damit hat man dann auch **schneller** Aussicht auf höhere Gewinne. Dadurch wiederum, dass man frühzeitiger höhere Gewinne hat, häufen sich schneller finanzielle Mittel an, die man zur Verbesserung der eigenen Leistung oder zur weiteren Förderung der Bekanntheit einsetzen kann.

Man gewinnt also einen eindeutigen **Wettbewerbsvorteil** gegenüber der Konkurrenz.

Aber es geht nicht nur allein darum, dass Sie schneller zu mehr Geld kommen. Es geht vor allem darum, Ihre Positionierung gegenüber der Konkurrenz festzuzurren und damit Ihren **zukünftigen** Erfolg und Ihr Einkommen zu sichern.

Erinnern Sie sich bitte zurück, welcher Punkt für eine erfolgreiche Positionierung besonders wichtig ist: Es ist entscheidend, dass Sie eine einzigartige Positionierung **als Erster** in Ihrer Region "besetzen".

Nun stellen Sie sich einmal vor, Sie hätten einen Konkurrenten um die Ecke, der Ihre Positionierungsidee nachzuäffen versucht. Das ist in der Praxis gar nicht so selten der Fall. Sobald Konkurrenten merken, dass man mit einem Konzept oder einer Idee anfängt Erfolg zu haben, sind immer die "Affen" da.

Stellen Sie sich weiter vor, dass Sie keine intensive Kommunikation für Ihre neue Positionierungsidee betreiben würden, weil "Werbung Ihnen generell zu teuer" wäre. Ihr Nachäffer aber geht mit Ihrer Idee in seinem Namen an die Öffentlichkeit.

Was denken Sie wohl, von welchem Salon die Menschen vermuten werden, er würde das "Original" sein? Natürlich von dem Salon, der **als Erster** von der Öffentlichkeit mit der Verkündung der betreffenden Idee **wahrgenommen** wurde. Und das wird der "Affe" von nebenan sein, weil er als Erster "laut gebrüllt" hat.

Bestimmt entstammt aus genau dieser Erfahrung der 100 Jahre alte Ausspruch von Automobil-Pionier Henry Ford: **"Wer nicht wirbt, der stirbt."** Die zeitgemäße Übersetzung dieser Weisheit müsste meiner Meinung nach heute lauten:

Ein Original, das nicht rechtzeitig auffällt, wird selbst zur Kopie.

Jetzt verstehen Sie hoffentlich, dass uns Friseuren die Kommunikationspolitik auch dabei helfen kann, unsere Positionierung erfolgreich gegen Angriffe von Nachahmern abzuschirmen. Wir können unsere "Original"-Stellung mit zeitnaher, aktiver Kommunikation zunächst einmal festmachen, die Positionierung für uns beanspruchen und Wettbewerber in unseren Schatten stellen.

"Wer aufhört zu werben, um Geld zu sparen, könnte genauso gut seine Uhr anhalten, um Zeit zu sparen. "
(Henry Ford)

Die Voraussetzung für eine erfolgreiche Positionierung ist aber auch hierbei wieder, dass der kommunizierte Nutzen unseres Angebotes unserer Zielgruppe einen Kaufanreitz bietet, dass dieser Nutzen tatsächlich für unsere Kunden erlebbar ist, und — ganz wichtig — dass **richtig** kommuniziert, und nicht nur Geld zum Fenster hinausgeschleudert wird.

Letzteres ist sicher der Grund, warum viele Friseure es sich nicht zutrauen, aktiv — auch durch bezahlte Werbung — zu kommunizieren. Wenn ich mir so manche Zeitungsanzeige von Friseuren anschaue, finde ich mich in dieser Vermutung bestätigt. Ein Großteil solcher Anzeigen wird direkt von den Anzeigengestaltern der Zeitschriften "zusammengebastelt".

Viele Friseure glauben anscheinend, die "Zeitungsfutzies" wüssten, was bei werbewirksamer Anzeigengestaltung zu beachten ist. Doch meist kommen dabei solch gestümperte Anzeigen heraus, welche nur die eine Aussage kennen: "Hallo, es gibt uns noch." Bevor Sie derartige Anzeigen beauftragen und damit eventuell Ihrem wertvollen Salon-Image Schaden zufügen, spülen Sie Ihr Geld lieber im Klo runter!
Eine Anzeige am Computer zusammenbasteln kann heutzutage

jeder. Aber wenn Sie das tun, dann müssen Sie die Erfolgsregeln dafür auch kennen. Sonst ist es reine Geldverbrennung! Erfolgreiche Anzeigengestaltung erfordert eine Menge mehr an Wissen, welches meist nur ausgebildete Marketingfachleute oder Mediengestalter haben.

Bei Bedarf melden Sie sich bitte bei mir, dass ich Ihnen Mediengestalter mit Marketinghintergrund empfehlen kann. Senden Sie mir bitte eine Email: ***info@Friseur-Unternehmer.de***

Auch die Wahl geeigneter Kommunikationskanäle ist entscheidend dafür, ob das für Werbung eingesetzte Kapital Früchte trägt oder nur verbrannt wird. So ist beispielsweise die Tageszeitung definitiv der falsche Kanal, wenn man junge Kundschaft gewinnen will, Facebook ist nicht geeignet, um vorwiegend ältere Kundschaft anzusprechen.

Sie sollten natürlich immer jene Kanäle wählen, die von Ihrer

Zielgruppe möglichst intensiv genutzt werden. Wenn Sie es nicht wissen, machen Sie Marktforschung und fragen Sie diejenigen Ihrer Kunden, die am meisten Ihrer Hauptzielgruppe entsprechen, welche Kanäle/Medien diese am intensivsten nutzen!

Auf unserer Website ***www.Friseur-Unternehmer.de*** zeigen wir Ihnen, wie Sie richtig und erfolgreich werben mit Zeitungsanzeigen. Aber auch andere Kommunikationswege werden Ihnen als Mitglied dort ausführlich erläutert. So geben wir Ihnen Hilfestellung für Ihr eigenes Empfehlungsmarketing nach Art des Cross-Marketings mittels Neukundengutscheinen und Dankeskarten. Den passenden Musterbrief mit Partnerschaftsvorschlag zur Gewinnung geeigneter Partner für dieses Cross-Marketing liefern wir Ihnen dort gleich mit.

Wir erläutern erfolgreiches Internet-Marketing und hier speziell die Anforderungen an Ihre Salon-Homepage. Wir erklären ein Konzept zur Neukundengewinnung durch Freundschaftswerbung, womit sie gezielt Mund-zu-Mund-Propaganda anstoßen können. Ein konkretes Kommunikationsmittel dazu ist beispielsweise der "Two for One-Gutschein für Freundinnen".

Sogar Geburtstagskarten und Geschenkgutscheine sind effektive Werbemittel, wenn man sie denn richtig einsetzt. Wir verhelfen Ihnen zur richtigen Idee für Kunden-Weihnachtsgeschenke mit Nutzen für den Kunden und Gewinn für Ihren Salon.

Wir erläutern, wie Sie Ihre Werbung richtig planen können und warnen Sie vor den Gefahren der oftmals praktizierten Prozentsatzmethode bei der Werbeplanung von Friseursalons.

Ständig kommen im Bereich Kommunikationspolitik weitere

Ideen und Konzeptvorlagen hinzu. Dieses Buch würde platzen, wenn wir all diese Dinge hier zu vertiefen versuchten. Dazu gibt es schließlich die zahlreichen Kurse auf unserer Website und sicher zukünftig auch noch weitere Bücher, welche diese Themen eingehend behandeln werden.

Als letztes unserer Marketinginstrumente überschauen wir der Vollständigkeit halber ganz kurz die Distributionspolitik, die uns im Friseurgeschäft nicht viel Aufmerksamkeit abverlangen wird.

Zusammenfassung:

Gezielte Kommunikation — gerade auch über bezahlte Werbemedien — ist ein Wirkbeschleuniger für Ihren Erfolg. Sie können schneller Ihren Kundenkreis vergrößern und kommen dadurch früher an die finanziellen Mittel, welche Sie zum Ausbau und zur Festigung Ihrer Marktposition benötigen.

Bei bezahlter Werbung sind immer die Kosten gegenüber der Chance auf Neukundengewinn abzuwägen. Vernünftige Kalkulation der Werbekosten ist dabei unerlässlich.

Besondere Bedeutung hat die Kommunikationspolitik, wenn es darum geht, Ihre einzigartige Positionierung als erster Anbieter im Markt zu kommunizieren. Nur so können Sie den allgegenwärtigen "Ideen-Piraten" den Wind aus den Segeln nehmen und ihnen erfolgreich davonfahren.

Die Distributionspolitik

Die Distribution befasst sich mit der Frage "Wo sollen welche Produkte/Leistungen an wen, wann und auf welchen Wegen vertrieben und geliefert werden?" Das ist ein überaus wichtiges Betätigungsfeld für das Marketing physischer Produkte und mit Ihnen eventuell verbundener Dienstleistungen. Für Friseurgeschäfte jedoch berührt die Distribution lediglich einige wenige Entscheidungsbereiche.

Da stellt sich bei einer Gründung beispielsweise die Frage nach einer geschäftlich günstigen **Lage des Salons** bzw. der Filialen (Hierzu finden Sie einige Tipps zur richtigen Standortwahl auf unserer Website), ob die Kunden den Salon leicht zu Fuß erreichen können, ob es Parkplätze gibt, oder eben auch die Frage, ob man seine Friseurdienstleistungen zusätzlich im mobilen Home-Service beim Kunden zuhause, im nahe gelegenen Altersheim oder im Verbund mit Anbietern anderer Branchen ausführen kann oder will.

Viel mehr haben wir Friseure mit der Distribution nicht am Hut. Die Leistungen des Friseurs werden schließlich direkt am Kunden erbracht und nicht über Absatzmittler (Handel, Großhandel) und auch nicht über Absatzhelfer (Agenturen, Vermittler, Vertreter) verbreitet. Deshalb ist die Distribution ein schnell abgehandeltes Thema in diesem Buch.

Schlusswort

Damit haben wir die vier großen Instrumente des klassischen Marketing-Mixes unter Einbeziehung von Fallbeispielen aus der Friseurbranche einmal grundlegend beleuchtet.

In neuerer Literatur findet man Modelle eines erweiterten Marketing-Mixes mit noch weiteren Marketing-Instrumenten. Doch auch wenn diese durchaus nützlich erscheinen, will ich Sie nicht mit unnötiger Verkomplizierung langweilen. Das hatte ich Ihnen im Vorwort ja bereits versprochen.

Dieses Buch hat Ihnen anhand konkreter Beispiele einen gedanklichen Einstieg in einige wichtige Grundlagen des Friseur-Marketings ermöglicht. Sie konnten sicher einige wertvolle Sichtweisen des Marketings für sich entnehmen oder vertiefen.

Sie sind nun in der Lage, Ihr eigenes Friseur-Marketing mit fachmännisch geschärftem Blick zu überschauen und zu bewerten. Sie können nun gute Dinge an Ihrem Salonmarketing intensivieren, weniger gute Dinge beenden oder ändern und neue Dinge beginnen, denn Sie kennen jetzt die grundsätzlichen Schritte auf Ihrem Weg zum Erfolg.

An dieser Stelle haben wir das Ziel dieses ersten Buches der Serie "Erfolgswissen für Friseure" erreicht und können es "zuklappen". Weitere Folgen dieser Buchreihe sind angedacht, in denen das hier vermittelte Grundlagenwissen erweitert und vertieft werden soll.

Ich möchte mich sehr bei Ihnen bedanken, dass Sie dieses Buch bis zum Ende gelesen haben. Bei Interesse an weiterem Hintergrundwissen und/oder direkt umsetzbaren Tipps, Tricks und Konzepten für Ihre Salonpraxis werden Sie bitte unser registriertes Mitglied auf ***www.Friseur-Unternehmer.de***.

Herzlichst

Ihr Guido Scheffler

P.S.: Sollten Sie in diesem Buch tatsächlich einen Fehlerteufel bei der Arbeit erwischt haben, dann geben Sie mir bitte unbedingt Bescheid. Auch bei eventuellen Fragen oder Anregungen, sowie bei Lob oder Kritik würde ich mich sehr über eine Email von Ihnen freuen: ***info@Friseur-Unternehmer.de***

Bildverzeichnis/Quellennachweis

Grafiken:
klassischer Marketing-Mix S.15: © Guido Scheffler
Steuerungsprozess des Marketings S.26: © Guido Scheffler
Produktdimensionen nach Kotler S.58: © Guido Scheffler
generische Wettbewerbsstrategien n. Porter S.77: © G.Scheffler
"stuck in the middle"-Position nach Porter S.80: © G.Scheffler
Erfolgsbeschleunigung durch Kommunikation S.93: © G.Scheffler

Fotos/Abbildungen:
Businessfrau Titelbild: © yellowj - Fotolia.com/Bearb. G.Scheffler
Portrait von Guido Scheffler Titelrücken: privat
Portrait von René Kromholz S.6: privat
Portrait von Albert Bachmann S.7: © Jens Krösel
Portrait von Heiko Schneider S.8: © Maik Lagodzki
Portrait von Heike Breiter S.8: privat
Portrait von Jörg Wilken S.9: privat
Portrait von Peter Lehmann S.9: privat
Marketing und Werbung S.13: © Pixel - Fotolia.com
Pizza S.14: © Alx - Fotolia.com
Herz aus Haar S.17: © Africa Studio - Fotolia.com
Megafon-Terror S.20: © olly - Fotolia.com
Verurteilung S.21: © olly - Fotolia.com
Feuerwehr S.24: © Frederic Bos - Fotolia.com/Bearb. G.Scheffler
Frau in Behandlung S.31: © Africa Studio - Fotolia.com
Haarwäsche mit Drink S.36: © nyul - Fotolia.com
Magnetismus S.44: © PiK - Fotolia.com
Eier und Schokolade S.52: © Ekaterina Garyuk - Fotolia.com
Herz als Geschenk S.64: © Igor Mojzes - Fotolia.com
Friseurpreise S.69: © Jan Jansen - Fotolia.com
Mindestlohn per Gesetz S.73: © Marco2811 - Fotolia.com
Megafon-Werbung S.90: © Aaron Amat - Fotolia.com
Brüllaffen S.98: © Grzegorz Szegda - Fotolia.com
Generationen und Medien S.100: © Marcio Eugenio - Fotolia.com
Ihre Meinung S.106: © Marco2811 - Fotolia.com

CPSIA information can be obtained
at www.ICGtesting.com
Printed in the USA
BVHW040723240620
582224BV00004B/31

9 783735 757128